DZIENNIK

CWANIACZKA

SZCZYT WSZYSTKIEGO

DZIENNIK

CWANIACZKA

SZCZYT WSZYSTKIEGO

Jeff Kinney

Tłumaczenie
Anna Nowak

Nasza Księgarnia

DLA TIMA

STYCZEŃ

Nowy Rok

Słyszeliście, że na początku roku trzeba spisać listę „postanowień", żeby stać się lepszym człowiekiem? W moim przypadku nie jest łatwo stać się lepszym, bo ja już jestem jednym z najlepszych ludzi, jakich znam.

I dlatego w tym roku postanowiłem, że postaram się poprawić INNYCH ludzi. Niestety, zauważyłem, że niektórzy wcale nie chcą mojej pomocy.

MOIM ZDANIEM POWINNAŚ POSTARAĆ SIĘ CISZEJ JEŚĆ CZIPSY.

CHRUP, CHRUP

Od razu widać, że moja rodzina nie potrafi wytrwać w SWOICH postanowieniach noworocznych.

Mama powiedziała, że dziś zacznie chodzić na siłownię, ale przez całe popołudnie oglądała telewizję.

A tata miał przejść na ścisłą dietę, ale po kolacji przyłapałem go na opychaniu się czekoladowymi ciastkami w garażu.

Nawet mój brat Manny zapomniał o swoim postanowieniu. Rano powiedział wszystkim, że jest już „duży" i wyrzuci swój smoczek. A potem cisnął ulubionego cumla do śmieci.

TO postanowienie nie przetrwało nawet minuty.

Jedyną osobą w rodzinie, która nie powzięła żadnego postanowienia, jest mój starszy brat Rodrick.

A szkoda, bo jego lista powinna mieć ze dwa kilometry długości.

Dlatego właśnie postanowiłem opracować program, który pomoże Rodrickowi stać się lepszym człowiekiem. Plan nazywa się „Trzy ostrzeżenia i wylot". Zasada jest prosta: za każdym razem, kiedy Rodrick nawali, zaznaczam X w tabeli.

Dostał trzy ostrzeżenia, jeszcze zanim zdążyłem wymyślić, co będzie oznaczał „wylot".

Zaczynam się zastanawiać, czy ja też nie powinienem olać swojego postanowienia. Kupa roboty, a postępy żadne.

Poza tym, kiedy po raz tysięczny przypomniałem mamie, żeby ciszej jadła czipsy, usłyszałem od niej coś bardzo mądrego. Mama powiedziała: „Nie każdy może być tak DOSKONAŁY jak ty, Gregory". Wygląda na to, że ma rację.

Czwartek

Tata znowu zaczyna dietę, więc mam przechlapane, bo od trzech dni nie je czekolady i jest MEGAupierdliwy.

Kilka dni temu tata mnie obudził i kazał zbierać się do szkoły, a ja znowu zasnąłem. Wierzcie mi, nigdy więcej nie popełnię TEGO błędu.

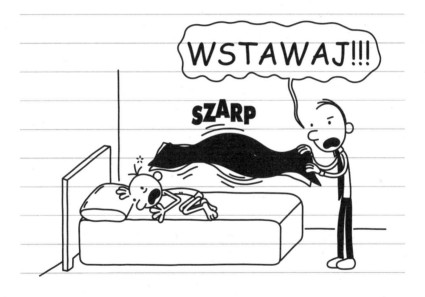

Problem w tym, że tata zawsze mnie budzi, zanim mama wyjdzie spod prysznica, więc wiem, że jeszcze przez jakieś dziesięć minut nie będę musiał opuszczać łóżka.

Wczoraj wpadłem na niezły pomysł, jak się wyspać, nie wkurzając przy tym taty. Kiedy mnie obudził, zabrałem na korytarz wszystkie koce i poczekałem na swoją kolej pod drzwiami łazienki.

Ułożyłem się na otworze wentylacyjnym centralnego ogrzewania. Kiedy piec działał, było mi nawet lepiej niż w łóżku.

Niestety, ogrzewanie włączało się tylko na pięć minut, a kiedy piec przestawał działać, leżałem na kawałku zimnego metalu.

Dziś rano, kiedy czekałem, aż mama wyjdzie spod prysznica, przypomniałem sobie, że ktoś dał jej na Gwiazdkę szlafrok, więc poszedłem do szafy i go wziąłem.

Wiecie co? To była jedna z moich najlepszych decyzji. Zupełnie jakbym się owinął wielkim, puszystym ręcznikiem wyjętym prosto z suszarki.

Tak mi się to spodobało, że włożyłem szlafrok również PO kąpieli. Tata chyba pozazdrościł mi tego pomysłu, bo kiedy wszedłem do kuchni, był jeszcze bardziej naburmuszony.

DZIEŃDOBEREK!

11

Mówię wam, kobiety mają rację z tymi szlafrokami. Zastanawiam się teraz, co JESZCZE mnie omija.

Szkoda, że nie poprosiłem o szlafrok pod choinkę, bo mam przeczucie, że mama niedługo mi go odbierze.

W tym roku znowu dostałem beznadziejne prezenty. Wiedziałem, że będzie kiepsko, kiedy rano poszedłem na dół i w mojej pończosze znalazłem tylko dezodorant i słownik.

Kiedy człowiek idzie do gimnazjum, dorośli uznają chyba, że jest już za stary na zabawki i inne fajne rzeczy, ale cały czas oczekują radości po otwarciu idiotycznych prezentów.

W tym roku dostałem głównie książki albo ubrania. Tylko prezent od wujka Charliego trochę przypominał zabawkę.

Kiedy go odpakowałem, nie miałem pojęcia, co to jest. W środku znalazłem dużą plastikową obręcz z przymocowaną siatką.

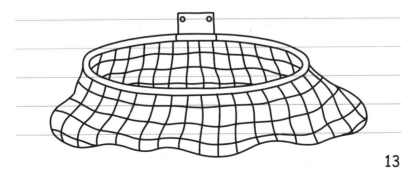

Wujek Charlie wyjaśnił, że to „kosz na pranie" do mojej sypialni. Powinienem powiesić go na drzwiach i wrzucać tam brudne ciuchy. To będzie „zabawa".

Najpierw myślałem, że to jakiś kawał, ale potem zrozumiałem, że wujek mówi serio. Musiałem mu wyjaśnić, że nie zajmuję się swoim praniem, tylko

rzucam brudne ciuchy na podłogę, a mama je zbiera
i znosi do pralni.

A kilka dni później wszystko wraca do mnie złożone
ładnie w kostkę.

Powiedziałem wujkowi, żeby oddał kosz do sklepu i dał
mi kasę, a ja kupię sobie coś naprawdę przydatnego.

Wtedy odezwała się mama. Powiedziała wujkowi,
że jej zdaniem ten kosz to ŚWIETNY pomysł.
Oświadczyła też, że od teraz mam sam zajmować się

swoim praniem. Czyli wujek podarował mi na Gwiazdkę nowy obowiązek.

To nie fair, że dostałem takie kaszaniaste prezenty. Od kilku miesięcy nieźle się wszystkim podlizywałem i liczyłem, że to mi się opłaci.

Skoro już sam zajmuję się swoim praniem, to NAPRAWDĘ fajnie, że mam tyle ciuchów. Minie cały rok szkolny, zanim skończą mi się czyste rzeczy.

Poniedziałek

Kiedy Rowley i ja przyszliśmy dzisiaj na przystanek, czekała nas tam niemiła niespodzianka – kartka z informacją, że nasza linia autobusowa została „przeniesiona". I to od dzisiaj. Czyli będziemy musieli CHODZIĆ do szkoły.

Chciałbym pogadać z geniuszem, który wpadł na taki pomysł, bo z naszej ulicy do szkoły jest dobre czterysta metrów.

Musieliśmy biec, żeby zdążyć na lekcje. A NAJGORSZE było to, że po drodze minął nas autobus pełen dzieciaków z Whirley Street, ulicy w sąsiedztwie.

Na nasz widok dzieciaki z Whirley Street zaczęły
piszczeć jak małpy. Było to strasznie wkurzające, bo
zazwyczaj my tak robimy, kiedy je mijamy.

Wiecie, czemu to zły pomysł, żebyśmy chodzili do
szkoły? Nauczyciele zadają nam okropnie dużo
i musimy nosić do domu tyle książek i papierów, że
nasze plecaki ważą z pięćdziesiąt kilogramów.

A jeśli chcecie się przekonać, jaki to będzie miało
wpływ na uczniów, przyjrzyjcie się Rodrickowi i jego
niektórym kumplom.

Skoro już mowa o nastolatkach, to tata odniósł
dziś wielkie zwycięstwo. Najgorszym nastolatkiem
w naszej okolicy jest gość, który nazywa się
Lenwood Heath. To wróg numer jeden taty, który
jakieś pięćdziesiąt razy napuszczał na gościa gliny.

A NIECH WAS,
PRZEBRZYDŁE
MAŁOLATY!

BRZDĘK!

Rodzice Lenwooda mieli tego już chyba po dziurki
w nosie, bo posłali go do szkoły wojskowej. Pewnie

myślicie, że tata się ucieszy, ale moim zdaniem nie będzie usatysfakcjonowany, dopóki wszystkie nastolatki na świecie nie zostaną zamknięte w poprawczaku albo w Alcatraz. Rodrick też.

Wczoraj rodzice dali Rodrickowi kasę na książki do matury, ale on wydał wszystko na tatuaż.

Ja dopiero za jakiś czas będę nastolatkiem, ale jak tylko nim zostanę, tata od razu spróbuje mnie gdzieś odesłać.

Poniedziałek

Od jakiegoś tygodnia Manny co wieczór wyłazi z łóżka i przychodzi na dół.

A mama nie odsyła Manny'ego z powrotem do pokoju, tylko pozwala mu usiąść z nami i oglądać telewizję.

To nie w porządku, bo przy nim nie mogę oglądać moich ulubionych programów.

Kiedy ja byłem młodszy, nie było mowy o wychodzeniu z łóżka. Zrobiłem tak raz czy dwa, ale tata szybko z tym skończył.

Co wieczór czytał mi książkę pod tytułem „Hojne drzewo". To była całkiem niezła książka, ale z tyłu miała zdjęcie autora, niejakiego Shela Silversteina. Problem w tym, że Shel przypominał raczej

włamywacza albo pirata, a nie autora książek
dla dzieci.

Tata na pewno wiedział, jak strasznie boję się tego
zdjęcia, bo kiedy pewnego wieczoru wyszedłem
z łóżka, powiedział:

Zadziałało. Od tamtego czasu NADAL nie wychodzę w nocy z łóżka, nawet jeśli naprawdę muszę skorzystać z ubikacji.

Rodzice chyba nie kupują Manny'emu żadnych książek Shela Silversteina i dlatego dzieciak ciągle wychodzi z łóżka. Słyszałem kilka historii, które mu czytają. Wiecie co? Autorzy tych książek naprawdę nieźle się ustawili.

Po pierwsze, nie ma w nich prawie żadnych słów, więc pewnie pisze się je w pięć sekund.

GŁUPIUTKI MISIO ZIEWA,
BARDZO SMUTNY JEST,
GŁUPIUTKI MISIO ZASNĄŁ,
OCH, JAK CIESZY SIĘ!
KONIEC.

Powiedziałem mamie, co myślę o książkach Manny'ego, a ona stwierdziła, że skoro tak łatwo je napisać, to sam powinienem spróbować.

I tak właśnie zrobiłem. Wierzcie mi, to łatwizna. Trzeba tylko wymyślić chwytliwe imię dla głównego bohatera, a potem dać mu jakąś nauczkę na końcu opowiadania.

Teraz muszę tylko wysłać całość do wydawnictwa i czekać na kasę.

Czas zmądrzeć, Panie Rozumek!

Autor: Greg Heffley

Dawno temu żył sobie mężczyzna nazwiskiem Pan Rozumek, który miał mnóstwo głupich opinii.

Pewnego dnia Pan Rozumek wybrał się na wycieczkę samochodem.

Ale nagle...

I wtedy…

PANIE ROZUMEK, UTOPIŁBY SIĘ PAN, ALE NA SZCZĘŚCIE TOBUK PRZYPŁYNĄŁ NA KRZE I URATOWAŁ PANU ŻYCIE.

Dlatego właśnie...

KIEDYŚ MÓWIŁEM, ŻE NIEDŹWIEDZIE POLARNE SĄ KOMPLETNIE BEZUŻYTECZNE, ALE TERAZ JUŻ WIEM, ŻE NIEKTÓRE SIĘ PRZYDAJĄ.

KONIEC

Kapujecie? Kiedy skończyłem pisać, zauważyłem, że opowiadanie się nie rymuje, ale jeśli wydawca chce rymów, to będzie musiał mi dopłacić.

<u>Sobota</u>

Ponieważ od dwóch tygodni chodzę do szkoły,
nie mogłem się już doczekać dwóch dni wolnego
i leniuchowania.

Niestety, w sobotę w telewizji pokazują tylko kręgle
albo golfa. Poza tym słońce świeci przez nasze wielkie
okna i ledwo widać ekran.

Dzisiaj chciałem zmienić kanał, ale pilot leżał
na stoliku. Siedziałem wygodnie z miską płatków
na kolanach i nie chciało mi się wstawać.

Próbowałem posłużyć się Mocą, żeby pilot sam do mnie przyleciał, chociaż robiłem to już z milion razy i nigdy mi się nie udało. Dzisiaj próbowałem przez piętnaście minut i NAPRAWDĘ się skoncentrowałem, ale bez skutku. Niestety nie wiedziałem, że przez cały czas stoi za mną tata.

YYYH... YYYH...
YYYH... YYYH...

Tata powiedział, że muszę wyjść z domu i poćwiczyć. Wyjaśniłem mu, że ćwiczę BEZ PRZERWY, a rano wyciskałem ciężary na tej ławeczce, którą od niego dostałem.

Należało powiedzieć coś bardziej wiarygodnego, bo od razu było widać, że to bujda.

Tata czepia się mnie o ćwiczenia i takie tam, bo ma
szefa, który nazywa się pan Warren, a pan Warren
ma trzech synów, którzy mają świra na punkcie
sportu. Tata codziennie widuje tych gości na trawniku
przed domem, kiedy wraca z pracy ich ulicą.

Tata jest chyba rozczarowany, kiedy przychodzi
do domu i widzi, co robią JEGO synowie.

Tak jak już mówiłem, dzisiaj rano wykopał mnie
na dwór. Nie miałem pojęcia, co z sobą zrobić, ale
przyszedł mi do głowy pewien dobry pomysł.

Wczoraj podczas obiadu Albert Sandy opowiadał
wszystkim o jakimś gościu z Chin czy innej Tajlandii,
który potrafił podskoczyć na wysokość dwóch
metrów. Serio. Zrobił to tak: najpierw wykopał
dziurę o głębokości dziesięciu centymetrów, a potem
sto razy wyskakiwał z niej i wskakiwał z powrotem.
Następnego dnia wykopał dwa razy głębszą dziurę
i powtórzył skakanie. Po pięciu dniach skakał już
jak kangur.

Część chłopaków przy moim stole stwierdziła, że
Albert chrzani, ale MOIM zdaniem to miało sens.
Poza tym doszedłem do wniosku, że jeśli zrobię to,
o czym mówił Albert, i DOŁOŻĘ jeszcze kilka dni
treningu, to już nigdy więcej nikt mi nie będzie
dokuczał.

Wziąłem łopatę z garażu i znalazłem miejsce
do kopania na trawniku. Nie udało mi się nawet zacząć,
bo mama od razu wyszła z domu i zapytała,
co chcę zrobić.

Powiedziałem jej, że będę kopał dziurę, ale NIE
była zachwycona tym pomysłem. Podała przynajmniej
dwadzieścia powodów, dla których nie wolno mi
tego robić.

Wyjaśniła, że kopanie na trawniku jest
„niebezpieczne", bo pod ziemią są różne przewody
elektryczne, rury i tym podobne. Potem kazała mi
obiecać, że nigdy w życiu nie będę kopał na naszym
podwórku. Obiecałem.

Mama wróciła do domu, ale dalej obserwowała mnie przez okno. Zrozumiałem, że muszę wziąć łopatę i wykopać dziurę gdzie indziej, więc poszedłem do Rowleya.

Ostatnio rzadko u niego bywam, a wszystko z powodu Fregleya. Fregley często przesiaduje na swoim podwórku i dziś oczywiście też tam był.

Moja strategia wobec Fregleya polega na tym, żeby unikać kontaktu wzrokowego i iść dalej przed siebie. Dziś to podziałało.

Kiedy przyszedłem do Rowleya, opowiedziałem mu o swoim pomyśle i wyjaśniłem, że jeśli będziemy się trzymać programu skakania, to będą z nas dwa żółwie ninja.

Rowley wcale nie był zachwycony. Stwierdził, że jego rodzice mogliby się wkurzyć, gdybyśmy bez pytania wykopali na podwórku trzymetrową dziurę, więc najpierw poprosi ich o zgodę.

Z rodzicami Rowleya jest ten problem, że NIGDY nie podobają im się moje pomysły. Powiedziałem mu, że moglibyśmy zasłonić dziurę brezentem, kocem albo czymś w tym stylu i rozsypać na wierzchu trochę liści. W ten sposób jego rodzice w ogóle by się nie połapali. To go przekonało.

No dobra, przyznaję, rodzice Rowleya mogą się
W KOŃCU połapać. Ale dopiero za trzy, cztery
miesiące.

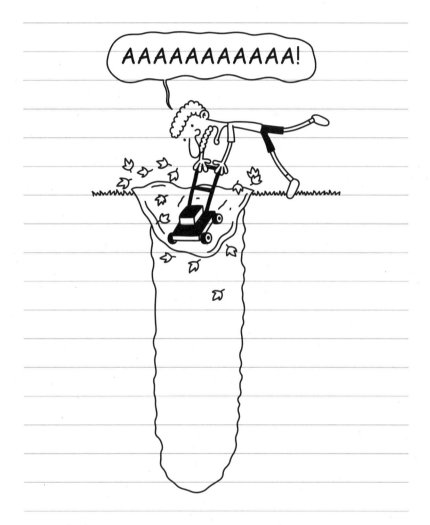

Znaleźliśmy dobre miejsce na podwórku przed domem
i zaczęliśmy kopać, ale od razu pojawił się problem.

Ziemia była zamarznięta na KAMIEŃ i ledwo mogliśmy wbić łopatę.

Męczyłem się przez kilka minut, a potem oddałem łopatę Rowleyowi. Jemu też nie szło najlepiej, ale pozwoliłem mu pracować naprawdę długo, żeby w pełni poczuł się uczestnikiem projektu.

Rowley poradził sobie trochę lepiej niż ja,
ale kiedy zaczęło się ściemniać, przestał kopać.
Jutro musimy się bardziej przyłożyć.

Niedziela

Długo myślałem i doszedłem do wniosku, że przy tym
tempie trzymetrową dziurę wykopiemy najwcześniej
na studiach.

I dlatego wpadłem na zupełnie INNY pomysł.
Przypomniałem sobie program telewizyjny
o naukowcach, którzy stworzyli „kapsułę czasu"
i wypełnili ją gazetami, płytami DVD i podobnymi
rzeczami. Potem zakopali ją w ziemi. Chodziło im o to,
żeby za kilkaset lat ktoś ją odkopał i dowiedział się,
jak żyli ludzie w naszych czasach.

KAPSUŁA
CZASU

NIE OTWIERAĆ
PRZED 2300 ROKIEM

Opowiedziałem o tym Rowleyowi. Pomysł bardzo mu się spodobał. Chyba głównie dlatego, że nie będziemy musieli przez następnych kilka lat kopać dziury.

Poprosiłem go, żeby oddał kilka rzeczy do kapsuły czasu. Wtedy się spietrał. Wyjaśniłem mu, że jeśli umieści w kapsule parę prezentów gwiazdkowych, to ludzie w przyszłości dostaną fajne rzeczy, kiedy otworzą pudło. Rowley stwierdził, że to nie fair, bo ja nie wkładam żadnych swoich prezentów do kapsuły. Musiałem mu wytłumaczyć, że gdyby ludzie w przyszłości znaleźli w pudle same ciuchy i książki, uznaliby, że byliśmy strasznie nudni.

Potem powiedziałem, że ja też coś poświęcę i wrzucę tam własne trzy dolary. To przekonało Rowleya. Oddał nową grę wideo i jeszcze kilka innych rzeczy.

Miałem pewien tajny plan, o którym nie wspomniałem Rowleyowi. Wiedziałem, że włożenie do kapsuły pieniędzy to cwany pomysł, bo w przyszłości te trzy dolary będą warte ZNACZNIE więcej.

Dlatego mam nadzieję, że ktoś, kto znajdzie kapsułę, powróci do przeszłości i wynagrodzi mnie za to, że dzięki mnie stał się bogaty.

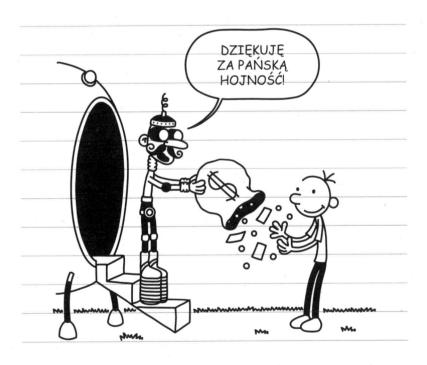

Napisałem liścik i włożyłem go do pudła, żeby znalazca wiedział, komu podziękować.

Do zainteresowanego:
gotówka jest od
Grega Heffleya
z Surrey Street 12

Znaleźliśmy pudełko po butach i wsadziliśmy tam wszystkie nasze rzeczy. Całość owinęliśmy taśmą klejącą.

Na wierzchu napisałem wiadomość, bo nie chciałem, żeby ktoś otworzył pudełko za wcześnie.

Kapsuła czasu

nie otwierać,
dopóki nie będzie
możliwa podróż
w czasie

Potem włożyliśmy pudełko do dziury i porządnie je zasypaliśmy.

Szkoda, że Rowley nie postarał się bardziej przy kopaniu i nasza kapsuła czasu nie leży zbyt głęboko. Mam nadzieję, że nikt nam tego nie popsuje, bo pudełko musi spędzić w ziemi co najmniej sto lat.

Poniedziałek

Ciężki początek tygodnia. Kiedy wstałem z łóżka, szlafrok mamy nie wisiał tam, gdzie zawsze, czyli na klamce moich drzwi.

Spytałem mamę, czy go zabrała, ale powiedziała, że nie. Czuję, że tata miał z tym coś wspólnego. Kilka

dni temu wpadłem na pomysł, jak połączyć szlafrok
i ogrzewanie. Tata chyba nie był zachwycony.

Mam przeczucie, że schował szlafrok albo się go
pozbył. Przypominam sobie, że wczoraj po kolacji
pobiegł do pojemnika na ubrania dla biednych.
To chyba zły znak.

Jeśli tata FAKTYCZNIE wyrzucił szlafrok,
to nie byłby pierwszy raz, kiedy targnął się na cudzą
własność. Wiecie, że Manny próbował się rozstać
ze smoczkiem?

Wczoraj rano tata wyrzucił jego wszystkie cumle.

No i Manny kompletnie ześwirował. Uspokoił się
dopiero wtedy, kiedy mama wyciągnęła stary niebieski
kocyk, zwany przez niego „Kocikiem".
Mama zrobiła mu go na drutach na pierwsze
urodziny. To była miłość od pierwszego wejrzenia.

Manny wszędzie go z sobą taszczył. Nie chciał się
rozstać z kocem i nie pozwolił mamie go wyprać.

Kocyk zaczął się rozpadać, a po drugich urodzinach
zostało z niego kilka nitek sklejonych jedzeniem
i glutami z nosa.

To chyba wtedy Manny nadał mu imię „Kocik".

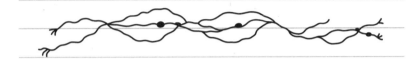

Od kilku dni Manny ciąga za sobą Kocik po całym
domu, tak jak wtedy, kiedy był mały. A ja staram się
schodzić mu z drogi.

Środa

Nie chce mi się już chodzić do szkoły na piechotę,
więc dziś rano poprosiłem mamę, żeby zawiozła
mnie i Rowleya. Do tej pory nie prosiłem jej o to,
bo samochód mamy jest cały oklejony obciachowymi
znaczkami, a dzieciaki w mojej szkole nie odpuszczają
takich rzeczy.

Próbowałem zdrapać nalepki, ale ten klej przetrwa wszystko...

Dzisiaj mama nas podwiozła, ale poprosiłem ją, żeby zatrzymała się ZA szkołą.

Niestety, popełniłem głupi błąd i zostawiłem plecak w samochodzie, więc mama przyniosła mi go podczas czwartej lekcji. I oczywiście to właśnie DZISIAJ zaczęła wreszcie chodzić na siłownię.

Co za kanał. Tylko na czwartej lekcji mam zajęcia z Holly Hills, a w tym roku próbuję zrobić na niej dobre wrażenie. Ta historia z mamą kosztowała mnie jakieś trzy tygodnie starań.

Nie tylko ja chcę zrobić dobre wrażenie na Holly Hills. Chyba każdy chłopak w klasie na nią leci. To czwarta najładniejsza dziewczyna na naszym roku, ale wszystkie ładniejsze mają już chłopaków. Dlatego tacy jak ja robią, co mogą, żeby jej się spodobać.

Chciałbym odróżnić się jakoś od kretynów, którzy ją podrywają. Chyba wreszcie wpadłem na dobry pomysł: poczucie humoru.

Jeśli chodzi o dowcipy, to dzieciaki z mojej klasy są jak jaskiniowcy. Dam wam przykład: w naszej szkole za dobry kawał uchodzi coś takiego.

Kiedy tylko Holly jest w pobliżu, daję z siebie wszystko. Zwykle wykorzystuję Rowleya jako partnera. Udało mi się nauczyć go kilku niezłych kawałów.

Problem w tym, że Rowley robi się coraz bardziej zachłanny i chce wybierać swoje kwestie, więc nie wiem, ile jeszcze potrwa nasza spółka.

Dostałem już nauczkę, żeby nie jeździć z mamą do szkoły i teraz znowu chodzę na piechotę. Ale dziś po południu, kiedy wracałem do domu z Rowleyem, naprawdę myślałem, że się tam nie dowlokę, więc poprosiłem go, żeby wziął mnie na barana.

Rowley nie był zachwycony. Musiałem mu przypomnieć, że jesteśmy najlepszymi przyjaciółmi, a najlepsi przyjaciele właśnie od tego są. Zgodził się w końcu, kiedy obiecałem ponieść jego plecak.

SAP, SAP

Niestety, mam przeczucie, że to był pierwszy
i ostatni raz, bo kiedy dotarliśmy do domu, Rowley
był kompletnie wykończony. Wiecie co? Skoro szkoła
skasowała gimbusa, to mogłaby przynajmniej postawić
na naszym wzgórzu wyciąg narciarski.

Wysłałem już do dyrektora pięć maili z taką
propozycją, ale na razie mi nie odpisał.

Kiedy wróciłem do domu, też byłem nieźle zmęczony.
Ostatnio ucinam sobie drzemkę po szkole.

Prawdę mówiąc, żyję PO TO, żeby drzemać. Tylko
w ten sposób mogę naładować akumulatory
po lekcjach. Prawie każdego dnia wskakuję do łóżka,
jak tylko wrócę do domu.

Powoli staję się ekspertem. Potrafię przespać
właściwie wszystko.

Tylko jedna osoba jest lepsza ode mnie w spaniu:
RODRICK. Mam na to dowód. Kilka tygodni temu
mama musiała zamówić dla niego nowe łóżko, bo stare
było już zniszczone.

Faceci od mebli mieli zabrać stary materac.
Kiedy przyjechali, Rodrick był akurat w trakcie

popołudniowej drzemki. Goście wzięli łóżko,
a on spał dalej na podłodze, w środku pustej
ramy.

Boję się, że tata zabroni nam spać po południu.
Chyba ma już dosyć codziennego budzenia nas
na kolację.

Wtorek

To okropne, ale drzemki mają chyba wpływ na moje
oceny. Widzicie, kiedyś odrabiałem lekcje po powrocie

ze szkoły, a wieczorem oglądałem telewizję. Ostatnio próbuję robić zadania PODCZAS oglądania telewizji i czasami nie wychodzi mi to zbyt dobrze.

Dziś miałem oddać czterostronicowy referat z biologii, ale wczoraj wieczorem wciągnąłem się w jeden program i dlatego musiałem napisać całe zadanie w pracowni komputerowej podczas przerwy.

Nie miałem czasu na zebranie materiałów, więc poszerzyłem marginesy i powiększyłem czcionkę, żeby wycisnąć jakoś z tego cztery strony, ale wiem, że pani Nolan mi nie odpuści.

SZYMPANSY

Czterostronicowy referat

AUTOR:
GREG HEFFLEY

1

To jest szympans. Można go nazywać „szymkiem".

Niniejszy referat dotyczy właśnie szympansów.

2

Wczoraj na geografii dostałem zero punktów
z klasówki. Na swoją obronę muszę powiedzieć,
że trudno uczyć się do sprawdzianu podczas
oglądania meczu.

Jeśli mam być szczery, to moim zdaniem nauczyciele
w ogóle nie powinni zmuszać nas do kucia na pamięć
tych wszystkich rzeczy, bo w przyszłości każdy
będzie miał osobistego robota, który wszystko
podpowie.

Skoro już mowa o nauczycielach, to pani Craig była dziś w parszywym humorze. A wszystko dlatego, że zniknął gdzieś wielki słownik, który zwykle leży na jej biurku.

Jestem pewien, że ktoś go pożyczył i zapomniał oddać, ale pani Craig ciągle mówiła o „kradzieży".

Oświadczyła, że jeśli słownik nie wróci na biurko do końca lekcji, zatrzyma nas wszystkich przez przerwę.

Potem powiedziała, że zaraz wyjdzie z sali i jeśli „sprawca" odłoży słownik na biurko, nie będzie żadnych konsekwencji ani pytań. Wyznaczyła

Patty Farrell na dyżurną i wyszła. Patty strasznie się przejęła swoją rolą, a kiedy ona pilnuje klasy, nikt jej nie podskoczy.

Miałem nadzieję, że osoba, która zabrała słownik, szybko się przyzna, bo wypiłem dwa kartoniki mleka czekoladowego na lunch.

Ale nikt się nie przyznał. Oczywiście pani Craig dotrzymała słowa i kazała nam zostać po lekcji. A potem powiedziała, że będzie tak robić codziennie, dopóki słownik nie wróci na miejsce.

Piątek

Pani Craig zatrzymuje nas już od trzech dni, a słownik dalej się nie znalazł. Dzisiaj Patty Farrell była chora, więc pani Craig wyznaczyła na dyżurnego Aleksa Arudę.

Alex jest dobrym uczniem, ale ludzie nie boją się go tak jak Patty Farrell. Kiedy tylko pani Craig wyszła z klasy, rozpętało się istne piekło.

Kilku gości miało już dość siedzenia w klasie przez całą przerwę. Dlatego zaczęło się dochodzenie, kto wziął słownik pani Craig. Najpierw przepytano Coreya Lamba. Corey był pierwszy na liście podejrzanych, bo jest bardzo inteligentny i zawsze używa trudnych słów.

Błyskawicznie przyznał się do przestępstwa, ale zaraz się okazało, że zrobił to pod presją.

Potem wzięli na cel Petera Lyona, który też z miejsca się przyznał.

Wiedziałem, że to tylko kwestia czasu, zanim dobiorą się do MNIE, więc musiałem szybko coś wymyślić.

Przeczytałem mnóstwo książek o Sherlocku Sammym i pamiętałem, że czasami z tarapatów może cię wybawić tylko kujon. Od razu przyszło mi do głowy, że Alex Aruda rozkmini tę zagadkę.

Razem z kilkoma innymi przestraszonymi chłopakami podszedłem do Aleksa, żeby spytać, czy nam pomoże,

ale on nie miał zielonego pojęcia, o czym mówimy.
Pewnie tak wsiąkł w swoją książkę, że nie zauważył,
co się wokół niego dzieje od kilku dni.

Poza tym Alex zawsze spędza przerwy w sali i czyta,
więc kara pani Craig nie wpłynęła przesadnie na jego
życie.

Niestety Alex też naczytał się powieści o Sherlocku
Sammym, więc zażądał pięciu dolców za pomoc. A to
strasznie nie w porządku, bo Sherlock Sammy bierze
raptem kilka centów. Mimo to zebraliśmy pieniądze,
a potem daliśmy mu pięć dolarów.

Wyjaśniliśmy, co jest grane, ale sami wiedzieliśmy niewiele. Potem poprosiliśmy Aleksa o wskazówki.

Myślałem, że zacznie robić notatki i bredzić coś w pseudonaukowym języku, ale on zamknął tylko książkę, którą właśnie czytał, i pokazał nam okładkę. Nie UWIERZYCIE, ale to był słownik pani Craig.

Wyjaśnił nam, że od jakiegoś czasu czyta słownik, żeby przygotować się do stanowego dyktanda w przyszłym miesiącu. Fajnie by było, gdyby się przyznał, ZANIM daliśmy mu pięć baksów. Nie było czasu na narzekania, bo pani Craig mogła w każdej chwili wrócić do sali.

Corey Lamb odebrał książkę Aleksowi i odłożył ją na biurko pani Craig, która weszła do klasy właśnie w tym momencie.

Nie dotrzymała jednak słowa w sprawie „konsekwencji", więc przez najbliższe trzy tygodnie Corey Lamb będzie spędzał przerwy w sali. Ale przynajmniej ma towarzystwo – Aleksa Arudę.

LUTY

<u>Wtorek</u>

Wczoraj w stołówce, kiedy otworzyłem torbę
z drugim śniadaniem, znalazłem tam DWA OWOCE
i żadnych słodyczy.

Miałem spory problem. Mama zawsze daje mi
ciasteczka albo wafelki, a ja zazwyczaj nie jadam
nic innego. I dlatego przez resztę dnia brakowało mi
energii.

65

Po powrocie do domu zapytałem mamę, o co chodzi z tymi dwoma owocami. Mama wyjaśniła, że zawsze kupuje zapas słodyczy na cały tydzień, więc pewnie któryś z nas zwędził wszystko z kosza w pralni.

Na pewno uważa, że to moja sprawka, ale wierzcie mi, ja już się nauczyłem, żeby tego NIE robić.

W zeszłym roku podbierałem słodycze z kosza, ale musiałem słono za to zapłacić, kiedy pewnego dnia odpakowałem drugie śniadanie w szkole i znalazłem to, co mama mi dała zamiast słodyczy.

PANOWIE, CZY KTÓRYŚ Z WAS ZECHCE SIĘ ZAMIENIĆ NA PACZKĘ SUCHARKÓW?

Dzisiaj sytuacja się powtórzyła: dwa owoce i żadnych słodyczy.

Mówiłem już, że naprawdę potrzebuję energii, którą daje cukier. Prawie zasnąłem na szóstej lekcji z panem Watsonem. Na szczęście się obudziłem, kiedy huknąłem głową w oparcie krzesła.

Po powrocie do domu powiedziałem mamie, że to nie w porządku, bo ktoś inny zżera słodycze, a ja muszę cierpieć, ale ona oświadczyła, że przed końcem tygodnia nie wybiera się na zakupy, więc do tego czasu będę musiał „jakoś wytrzymać".

Tata też mi nie pomógł. Kiedy się poskarżyłem, wymyślił karę dla złodzieja słodyczy: „szlaban na perkusję i gry wideo przez cały tydzień". Czyli jego zdaniem to albo ja, albo Rodrick.

Jak już mówiłem, to nie MOJA sprawka, ale tata może mieć rację w sprawie Rodricka. Kiedy po kolacji Rodrick poszedł do łazienki na piętrze, zakradłem się do jego pokoju, żeby poszukać opakowań albo okruchów.

Podczas przeszukiwania, usłyszałem kroki brata na schodach. Musiałem się szybko gdzieś schować, bo z jakiegoś powodu Rodrick dostaje korby, kiedy przyłapuje mnie w swoim pokoju. Tak jak wczoraj.

W ostatniej chwili dałem nura do szafki pod biurkiem

i zatrzasnąłem drzwiczki. Rodrick wszedł do pokoju,

rzucił się na łóżko i zadzwonił do swojego

przyjaciela Warda.

Gadali BEZ KOŃCA i myślałem już, że spędzę

w biurku całą noc.

Dyskutowali zażarcie o tym, czy można wymiotować,

stojąc na głowie. Sam miałem ochotę puścić pawia.

Na szczęście w tym momencie padła bateria

w telefonie. Rodrick poszedł na górę po drugą

słuchawkę, a ja mogłem uciec.

Brak słodyczy nie dokuczałby mi tak bardzo, gdybym miał pieniądze. Mógłbym wtedy codziennie kupić coś w automacie.

Niestety, w tej chwili jestem kompletnie spłukany. A wszystko dlatego, że przepuściłem całą kasę na bezużyteczne badziewie.

Jakiś miesiąc temu znalazłem w komiksie kilka reklam i zamówiłem rzeczy, które miały CAŁKOWICIE ODMIENIĆ moje życie.

OKULARY RENTGENOWSKIE

PRZEJRZYJ NA WYLOT
ŚCIANY • METAL • UBRANIA

Osobisty PODUSZKOWIEC

LATAJ PO MIEŚCIE NA PODUSZCE POWIETRZA DWA METRY NAD ZIEMIĄ!

DRUKUJ BANKNOTY za pomocą Maszynki do pieniędzy

włóż kawałek papieru i wyjmij pięć dolców!

GŁOS NA ODLEGŁOŚĆ

ZESTAW BRZUCHOMÓWCY

Dwa tygodnie temu zacząłem dostawać przesyłki.

Maszynka do pieniędzy to jakaś durna sztuczka: żeby zadziałała, trzeba do niej wsadzić WŁASNE pieniądze. A to bez sensu, bo miałem nadzieję, że dzięki maszynce nie będę musiał w przyszłości szukać pracy.

Przez okulary z rentgenem wszystko widać niewyraźnie i krzywo, więc to też jakaś ściema.

Zestaw brzuchomówcy W OGÓLE nie działał, chociaż zrobiłem wszystko zgodnie ze wskazówkami.

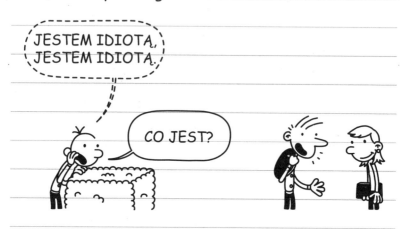

Najbardziej napaliłem się jednak na poduszkowiec. Myślałem, że jak już go dostarczą, powrót do domu po szkole stanie się prosty jak konstrukcja cepa.

Dzisiaj dostałem paczkę, ale w środku nie było poduszkowca, tylko instrukcje, jak go ZBUDOWAĆ. Utknąłem już przy pierwszym kroku.

Krok pierwszy:
kupić silnik
dwuturbinowy

Nie mogę uwierzyć, że ktoś tak okłamuje dzieciaki i uchodzi mu to płazem. Chciałem wynająć prawnika, żeby pozwać tych gości od reklam, ale prawnikowi trzeba zapłacić, a jak już mówiłem, maszynka do pieniędzy to badziewie.

Czwartek
Kiedy wróciłem dziś do domu, czekała na mnie mama. Nie była zachwycona. Okazało się, że szkoła przysłała informacje o ocenach na semestr, a mama przeczytała list, zanim zdążyłem go przechwycić.

Pokazała mi raport. Nie wyglądał dobrze. Potem oświadczyła, że musimy teraz poczekać na TATĘ i zobaczyć, co on na TO.

Jak człowiek się w coś wpakuje, czekanie na tatę to istny KOSZMAR. Kiedyś chowałem się w szafie, ale ostatnio wpadłem na lepszy pomysł. Teraz, gdy tylko mam kłopoty, zapraszam babcię do nas na kolację, bo wiem, że tata nie będzie świrował.

ALEŚ TY KOCHANY!

Przy kolacji usiadłem tuż koło babci.

Na szczęście przy stole mama nie wspomniała ani słowem o raporcie. A kiedy babcia powiedziała, że musi już iść na bingo, zabrałem się z nią.

Poszedłem na bingo nie tylko po to, żeby uciec przed tatą. Chciałem też zarobić parę groszy.

Uznałem, że spędzenie kilku godzin w towarzystwie babci i jej przyjaciółek to przyzwoita cena za tygodniowy zapas słodyczy ze szkolnego automatu.

Babcia i jej kumpele są ekspertami od bingo i bardzo poważnie do tego podchodzą. Mają specjalne notesy i maskotki na szczęście, które mają pomóc im wygrać.

Jedna z kumpel babci jest taka dobra, że zna na pamięć wszystkie swoje kupony, więc nie potrzebuje nawet notesu do zaznaczania liczb.

Nie wiedzieć czemu, dzisiaj paczka babci nie wygrywała tyle, co zwykle. Ale potem wyczytano wszystkie moje liczby, więc wrzasnąłem: „BINGO!". Bardzo głośno. Prowadzący przyszedł sprawdzić mój kupon.

Okazało się, że nieźle namieszałem i błędnie zaznaczyłem kilka okienek. Prowadzący ogłosił, że niczego nie wygrałem, i wszyscy się ucieszyli.

Babcia powiedziała, żebym następnym razem nie darł się tak głośno, bo stali bywalcy nie lubią, kiedy ktoś nowy wygrywa.

Myślałem, że robi sobie ze mnie jaja, ale bywalcy faktycznie przysłali jedną panią, żeby mnie nastraszyła. Muszę przyznać, że nieźle jej to wyszło.

Piątek

Dzisiejszy dzień nie należał do szczególnie udanych. Oblałem klasówkę z fizyki. Pewnie zamiast spędzić wczoraj cztery godziny na bingo, powinienem był się trochę pouczyć.

Podczas szóstej lekcji zasnąłem. Tym razem spałem jak ZABITY i pan Watson musiał mną potrząsnąć, żebym się obudził. Za karę kazał mi usiąść z przodu.

Całe szczęście. Tam mogłem spać bez przeszkód.

Szkoda, że nikt nie obudził mnie po lekcji, bo przespałem również część następnej.

To były zajęcia z panią Lowry, która kazała mi zostać w poniedziałek po lekcjach.

Dzisiaj cały się trząsłem z powodu niedoboru cukru, ale nie miałem ani grosza, żeby skoczyć do sklepu po jakiś napój albo batonik. Zrobiłem więc coś, z czego nie jestem specjalnie dumny.

Poszedłem do Rowleya i wykopałem kapsułę czasu. Zrobiłem to, bo nie miałem innego wyjścia.

Zabrałem kapsułę do domu, otworzyłem ją i wyjąłem moje trzy dolce. Potem poszedłem do sklepu i kupiłem duży napój, paczkę żelków i batonik.

Było mi trochę głupio, że zakopana przez nas kapsuła nie przetrwa kilkuset lat pod ziemią. Z drugiej strony, to fajne, że otworzył ją jeden z NAS, bo w środku było sporo czadowych rzeczy.

Poniedziałek

Nie bardzo wiedziałem, czego się spodziewać po siedzeniu w kozie, ale kiedy tylko wszedłem do sali, od razu pomyślałem: „Nie powinienem siedzieć tu z bandą przyszłych kryminalistów".

Zająłem jedyne wolne miejsce, tuż przed chłopakiem, który nazywa się Leon Ricket.

Leon nie jest największym bystrzakiem w naszej szkole. Siedział w kozie z powodu tego, co zrobił, kiedy podczas lekcji na oknie usiadła osa.

Okazało się, że w kozie człowiek musi siedzieć i czekać. Nie wolno czytać ani odrabiać lekcji, ani NIC. To durna zasada, bo większość z siedzących tam dzieciaków naprawdę powinna się trochę pouczyć.

Naszym opiekunem był pan Ray, który przez większość czasu miał nas na oku, ale kiedy tylko spojrzał w przeciwnym kierunku, Leon pstrykał mnie w ucho albo wsadzał mi do małżowiny obśliniony palec, albo jeszcze coś w tym stylu. W końcu przestał uważać, więc pan Ray przyłapał go z palcem w moim

uchu i powiedział, że jeśli Leon zrobi tak jeszcze raz,
będzie miał PRZECHLAPANE.

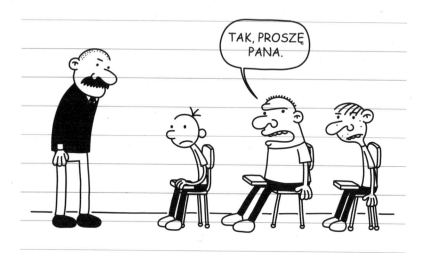

Wiedziałem, że Leon zaraz zacznie znowu mi
dokuczać, więc postanowiłem coś zrobić. Kiedy tylko
pan Ray się odwrócił, klasnąłem, udając, że to Leon
znowu mnie uderzył.

Pan Ray kazał Leonowi zostać w kozie na kolejne pół godziny, a także przyjść JUTRO.

W drodze do domu zastanawiałem się, czy aby na pewno dobrze zrobiłem, bo nie umiem szybko biegać, a pół godziny to niedużo czasu.

Wtorek

Dzisiaj wieczorem zdałem sobie sprawę, że WSZYSTKIE moje obecne problemy zaczęły się w momencie, kiedy ktoś ukradł słodycze. I dlatego postanowiłem złapać w końcu złodzieja.

Wiedziałem, że w sobotę mama zrobiła zakupy, więc w pralni jest nowy zapas słodyczy, a to oznacza, że złodziej znowu się tam zakradnie.

Po kolacji poszedłem do pralni i zgasiłem światło, a potem wlazłem do pustego kosza i czekałem.

Pół godziny później ktoś wszedł do pokoju i zapalił światło, więc przykryłem się ręcznikiem, ale okazało się, że to tylko mama.

Siedziałem bez ruchu, kiedy wyjmowała ubrania z suszarki. Nie zauważyła mnie i wrzuciła suche ciuchy prosto do kosza, w którym się ukrywałem.

Potem wyszła z pokoju, a ja czekałem dalej.
Postanowiłem, że spędzę w pralni noc, jeśli to będzie
konieczne.

Jednak suche ubrania były bardzo ciepłe i zaczęły mi
się kleić oczy. Sam nie wiem, kiedy zasnąłem.

Nie mam pojęcia, jak długo spałem, ale obudził mnie
szelest odwijanego celofanu.

Kiedy usłyszałem mlaskanie, włączyłem latarkę
i przyłapałem złodzieja na gorącym uczynku.

To był tata! Od początku powinienem był się domyślić.
On jest kompletnie UZALEŻNIONY od śmieciowego
jedzenia.

Zacząłem mu robić wyrzuty, ale mi przerwał. Nie
chciał się tłumaczyć, czemu wykrada nasze słodycze.
CHCIAŁ się za to dowiedzieć, co ja, do diabła, robię
w środku nocy pod stertą bielizny.

I właśnie w tym momencie usłyszeliśmy kroki mamy
na schodach.

Chyba obaj się skapowaliśmy, że to niedobrze
wygląda, więc każdy z nas złapał jak najwięcej
batoników i dał nogę.

Środa

Ciągle byłem wściekły na tatę i chciałem porozmawiać
z nim na ten temat, ale położył się do łóżka
o osiemnastej, więc nie miałem okazji.

Tata położył się tak wcześnie, bo był przybity czymś,
co przytrafiło mu się po powrocie z pracy. Wyciągał
właśnie listy ze skrzynki, kiedy zjawili się nasi
sąsiedzi, państwo Snellowie. Jechali na spacer
z nowym dzieckiem.

Dzieciak ma na imię Seth i urodził się jakieś dwa miesiące temu.

Kiedy państwu Snellom rodzi się nowe dziecko, sześć miesięcy później urządzają wielką imprezę „półurodzinową" i zapraszają wszystkich sąsiadów.

Gwoździem programu każdej imprezy jest moment, gdy dorośli ustawiają się w kolejce i próbują rozbawić dziecko. Zachowują się przy tym bardzo dziwnie i robią z siebie KOMPLETNYCH idiotów.

Byłem na wszystkich imprezach państwa Snellów i jak dotąd żadne dziecko ani razu się nie roześmiało.

Wszyscy znają PRAWDZIWY powód, dla którego państwo Snellowie urządzają te imprezy: chcą wygrać główną nagrodę, czyli 10 000 dolców, w konkursie „Najzabawniejsza rodzina Ameryki". To taki program telewizyjny, w którym pokazuje się amatorskie filmy z ludźmi obrywającymi piłką golfową w krocze i tym podobnymi numerami.

Państwo Snellowie mają nadzieję, że podczas jednej z ich imprez wydarzy się coś zabawnego, a oni to sfilmują. Udało im się już zebrać trochę niezłych scen. Na imprezie półrodzinowej Sama Snelli pan Bittner rozpruł sobie spodnie podczas robienia pajacyków. A na imprezie Scotta pan Odom chodził tyłem i wpadł do basenu.

Państwo Snellowie wysłali te nagrania do telewizji, ale niczego nie wygrali. Chyba będą produkować kolejne dzieci, dopóki im się nie powiedzie.

Tata NIE ZNOSI publicznych występów, więc staje na rzęsach, żeby nie musieć robić z siebie kretyna przed wszystkimi sąsiadami. Do tej pory udało mu się wykręcić od każdej imprezy półurodzinowej u państwa Snellów.

Podczas kolacji mama powiedziała, że będzie MUSIAŁ wybrać się na imprezę Setha Snelli w czerwcu. Tata chyba zdaje sobie sprawę, że teraz już się nie wywinie.

Czwartek

Ludzie w szkole gadają o balu walentynkowym, który odbędzie się w przyszłym tygodniu.

Moja szkoła po raz pierwszy organizuje taką imprezę, więc wszyscy są strasznie przejęci. Niektórzy goście z mojej klasy pytali nawet dziewczyny, czy pójdą z nimi.

Ja i Rowley jesteśmy w tej chwili singlami, ale nie oznacza to, że nie możemy pojawić się z fasonem.

Wymyśliłem, że jeśli przez najbliższe kilka dni odłożymy trochę kasy, będziemy mogli wynająć limuzynę na wieczór. Jednak kiedy zadzwoniłem do wypożyczalni, facet, który odebrał telefon, zwrócił się do mnie „proszę pani". I w ten sposób stracił klienta.

Bal odbędzie się w przyszłym tygodniu, więc przyszło mi do głowy, że muszę się jakoś ubrać.

Nie wiem, co wybrać, bo miałem już na sobie większość ciuchów, które dostałem na Gwiazdkę, i zaczyna mi brakować czystych rzeczy. Przejrzałem brudne ubrania, żeby poszukać czegoś, co można by włożyć DRUGI raz.

Podzieliłem ciuchy na dwie sterty: ubrania nadające się do ponownego włożenia i takie, które ściągnęłyby mi na głowę naszą pielęgniarkę, siostrę Powell, z pogadanką na temat higieny.

W pierwszej stercie znalazłem koszulę, która nie wyglądała źle. Miała tylko plamę z dżemu na lewym boku. Czyli podczas balu muszę pamiętać, żeby przez cały czas trzymać Holly Hills z prawej strony.

Walentynki
Wczoraj wieczorem do późna pisałem kartki walentynkowe do wszystkich osób w mojej klasie. Nasze gimnazjum to chyba jedyna buda w okolicy, która ciągle zmusza uczniów do wysyłania takich kartek.

W zeszłym roku naprawdę nie mogłem się doczekać wymiany kartek. Dzień przed walentynkami spędziłem na pisaniu kartki do takiej jednej dziewczyny, Natashy, która bardzo mi się podobała.

♡ Najdroższa Natasho! Moje serce płonie dla Ciebie tak mocno, że ten żar mógłby ogrzać tysiąc wanien, tak mocno, że wzbudza to rozpacz bałwanów.	Pozwól, by płomień mojej miłości ogrzał Cię swym ciepłem. Tylko nasz pocałunek może ugasić palące mnie płomienie. Ślubuję Ci miłość, pożądanie, życie. Greg

Pokazałem kartkę mamie, żeby poprawiła mi błędy ortograficzne, ale ona stwierdziła, że to nie jest odpowiednie dla kogoś w naszym wieku. Powiedziała, żebym kupił Natashy pudełko czekoladek albo coś w tym stylu, ja jednak nie miałem zamiaru korzystać z jej romantycznych porad.

W szkole wszyscy chodzili po klasie i wkładali kartki do pudełek innych osób, ale ja dostarczyłem moją walentynkę osobiście.

Poczekałem, aż Natasha przeczyta życzenia i da mi kartkę, którą przygotowała dla MNIE.

Natasha pogrzebała w pudełku i wyjęła tanią kartkę ze sklepu, którą miała dać swojej kumpeli, Chantelle. Chantelle była akurat chora.

Potem Natasha przekreśliła imię Chantelle i wpisała tam moje imię.

Sami rozumiecie, czemu w tym roku nie napalałem się za bardzo na wymianę kartek.

Wczoraj wieczorem wpadłem na fajny pomysł. Wiedziałem, że muszę przygotować kartki dla wszystkich osób z klasy, ale zamiast wymyślać jakieś łzawe bzdury, napisałem to, co NAPRAWDĘ myślę.

Cała sztuczka polegała na tym, że NIE PODPISAŁEM
żadnej kartki.

Kilka osób poleciało na skargę do naszej nauczycielki,
pani Riser, a ona obeszła całą salę w poszukiwaniu
osoby, która napisała te kartki. Na pewno uważała,
że winowajcą będzie ktoś, kto NIE dostał kartki,
ale ja się przygotowałem i napisałem kartkę także
do SIEBIE.

Po wymianie kartek odbył się bal walentynkowy.
Początkowo planowano go na WIECZÓR, ale chyba nie
znaleziono wystarczającej liczby rodziców, którzy
mieli się nami opiekować, dlatego bal zaczął się
w środku dnia.

Nauczyciele zbierali nas wszystkich i zaganiali do auli
już od trzynastej. Ci, którym żal było dwóch dolców
na wstęp, musieli pójść do sali pana Raya i odrabiać
lekcje.

Większość wiedziała jednak, że będzie to
równoznaczne z siedzeniem w kozie.

Cała reszta zebrała się w auli i usiadła na ławkach.
Kiedy wszyscy byli już w sali, nauczyciele puścili
muzykę, jednak osoba, która wybrała piosenki,
najwyraźniej nie miała zielonego pojęcia o tym,
czego słuchają dzieciaki.

Przez pierwszy kwadrans nikt nie ruszył się
z miejsca. Potem pan Philips, pedagog szkolny,
oraz siostra Powell wyszli na środek sali i zaczęli
tańczyć.

Uznali pewnie, że jeśli to zrobią, dzieciaki do nich dołączą. W efekcie WSZYSCY zostali tam, gdzie siedzieli, i to NA DOBRE.

W końcu pani Mancy, dyrektorka, chwyciła mikrofon i ogłosiła, że uczniowie zajmujący ławki mają zejść na dół i tańczyć, bo będzie się to liczyło jako 20% oceny z wuefu.

W tym momencie ja i jeszcze kilku innych chłopaków spróbowaliśmy dać dyla i uciec do pana Raya, ale złapali nas nauczyciele pilnujący wyjścia.

Pani Mancy mówiła śmiertelnie poważnie. Krążyła po auli razem z panem Underwoodem,

nauczycielem wuefu, który niósł notes

z ocenami.

Jestem zagrożony z wuefu, więc wiedziałem, że żarty
się skończyły. Z drugiej strony nie chciałem zrobić
z siebie idioty przy całej mojej klasie. I dlatego
opracowałem prosty krok, który można by od biedy
uznać za taniec.

Niestety, kilku innych chłopaków, którzy też obawiają się o swoje oceny z wuefu, zobaczyło, co robię, i podeszło bliżej. Ani się obejrzałem, a już otaczała mnie zgraja głupków małpujących moje ruchy.

Chciałem odsunąć się od nich jak najdalej, więc zacząłem szukać miejsca, gdzie mógłbym tańczyć w spokoju.

Właśnie wtedy zauważyłem Holly Hills i przypomniałem sobie, po co w ogóle przyszedłem na bal. Holly tańczyła na środku auli razem z kilkoma przyjaciółkami, więc skierowałem mój „krok" w ich stronę.

Dziewczyny zebrały się w dużą grupkę i tańczyły jak zawodowcy, pewnie dlatego, że przez cały czas oglądają MTV.

Holly tańczyła w samym środku grupy. Przez chwilę krążyłem dookoła i próbowałem przedostać się do niej, ale nie mogłem. W końcu Holly przestała tańczyć i poszła po coś do picia. Zrozumiałem, że to szansa dla mnie.

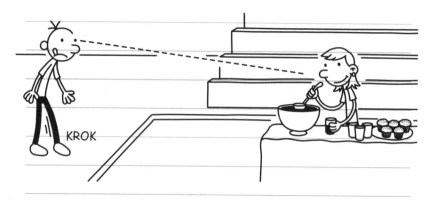

KROK

Już miałem do niej podejść i powiedzieć coś
zabawnego, kiedy nagle, zupełnie ZNIKĄD, pojawił się
Fregley.

Fregley miał na twarzy różowy lukier, czyli pewnie
przedawkował cukier z ciasteczek serwowanych
w bufecie. Wiem jedno: gość KOMPLETNIE zepsuł
wspaniałą chwilę należącą do mnie i Holly.

Kilka minut później bal się skończył, a ja przepuściłem
okazję, żeby zrobić dobre wrażenie na Holly.
Po lekcjach wróciłem do domu sam, bo potrzebowałem
trochę czasu dla siebie.

Po kolacji mama powiedziała, że w skrzynce na listy
jest walentynka dla mnie. Zapytałem, kto ją przysłał,
a ona odpowiedziała, że „ktoś wyjątkowy". Pobiegłem
do skrzynki i wyjąłem kartkę. Muszę przyznać,
że byłem nieźle przejęty. Miałem nadzieję, że to
walentynka od Holly, ale w mojej budzie jest jeszcze
kilka dziewczyn, od których chętnie dostałbym
taką kartkę.

Znalazłem dużą różową kopertę z moim imieniem
wypisanym kursywą. Rozdarłem ją i wyjąłem arkusz
kartonu z przymocowanym cukierkiem i podpisem
„Rowley".

Czasami naprawdę nie rozumiem tego gościa.

MARZEC

<u>Sobota</u>

Parę dni temu tata znalazł kocyk Manny'ego
na kanapie. Chyba nie zorientował się, co to jest,
bo wyrzucił go do śmieci.

Potem Manny przekopał cały dom w poszukiwaniu
zguby. W końcu tata powiedział mu, że przez pomyłkę
wyrzucił kocyk. Wczoraj Manny zemścił się na
nim: urządził sobie plac zabaw na makiecie wojny
secesyjnej.

Manny wyżywa się też na wszystkich innych. Dzisiaj siedziałem sobie spokojnie na kanapie, a on podszedł do mnie i powiedział:

Nie wiedziałem, czy to jakieś przekleństwo używane przez przedszkolaki, ale nie byłem zachwycony, więc poszedłem do mamy, żeby sprawdzić, czy ONA coś wie.

Niestety, mama rozmawiała przez telefon, a kiedy plotkuje z którąś przyjaciółką, człowiek musi godzinami zwracać na siebie jej uwagę.

W końcu udało mi się uciszyć ją na moment, ale mama była wściekła, że jej przerwałem. Opowiedziałem, jak Manny nazwał mnie „Ploopy", a ona na to:

Zatkało mnie, bo WŁAŚNIE tego chciałem się dowiedzieć. Nie znałem odpowiedzi, więc mama wróciła do rozmowy.

Od tego czasu Manny uznał, że może bezkarnie nazywać mnie „Ploopym", i teraz robi to na okrągło.

Powinienem był wiedzieć, że skarżenie na Manny'ego nic nie da. Kiedy Rodrick i ja byliśmy mali, ciągle donosiliśmy na siebie nawzajem, co doprowadzało mamę do szału. Dlatego wpadła na pomysł z Żółwiem Żółtkiem, który miał nam pomóc w rozwiązywaniu problemów.

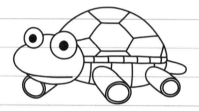

Mama wymyśliła żółwia, kiedy pracowała w przedszkolu. Chodziło o to, żebyśmy rozmawiali z żółwiem, a nie z nią, kiedy zaczynamy się kłócić. Z punktu widzenia Rodricka to był ŚWIETNY pomysł, ale z mojego – niekoniecznie.

Wielkanoc

Dziś w samochodzie, w drodze do kościoła, poczułem, że siedzę na czymś lepkim. Kiedy wysiadłem i obejrzałem tył spodni, okazało się, że są CAŁE usmarowane czekoladą.

Manny zabrał do samochodu czekoladowego zajączka i pewnie usiadłem mu na uchu.

Mama próbowała zapędzić nas wszystkich do środka, żeby zająć jak najlepsze miejsca, ale powiedziałem jej, że za ŻADNE skarby nie wejdę do kościoła w takim stanie.

Wiedziałem, że Holly Hills już tam jest z całą rodziną, a naprawdę nie chciałem, żeby zastanawiała się, czy aby nie narobiłem w gacie.

Mama stwierdziła, że w Wielkanoc MUSZĘ pójść do kościoła, i kłóciliśmy się o to przez chwilę, aż w końcu Rodrick wtrącił SWOJE trzy grosze.

Rodrick wie, że msza wielkanocna zawsze trwa przynajmniej dwie godziny, więc chciał się jakoś wymigać. Ale w tej samej chwili zatrzymał się koło nas szef taty z rodziną.

Mama kazała Rodrickowi włożyć spodnie, a mnie dała swój sweter, żebym obwiązał się nim w pasie.

Sam nie wiem, co wyglądało gorzej: spodnie upaprane czekoladą czy spódniczka z różowego swetra mamy.

Kościół był pełen ludzi. Jedyne wolne miejsca zostały z przodu, koło wujka Joego i jego rodziny, więc usiedliśmy razem z nimi.

Rozejrzałem się i trzy rzędy dalej zauważyłem Holly Hills z rodziną. Byłem niemal pewien, że Holly nie mogła zauważyć, co miałem na sobie poniżej pasa, więc poczułem ulgę.

Kiedy tylko rozległa się muzyka, wujek Joe wyciągnął
ręce do mnie i do swojej żony, a potem zaczął
śpiewać.

Kilka razy próbowałem mu się wyrwać, ale trzymał
mnie strasznie mocno. Chociaż śpiew trwał raptem
minutę, miałem wrażenie, że minęło przynajmniej
pół godziny.

Kiedy pieśń wreszcie się skończyła, odwróciłem się
do ludzi siedzących za nami i dałem im do zrozumienia,
że wujek jest szurnięty, a ja nie mam z tym nic
wspólnego.

Mniej więcej w połowie kościoła ludzie zaczęli podawać sobie koszyk, do którego wrzuca się pieniądze dla biednych. Nie miałem własnych pieniędzy, więc szeptem poprosiłem mamę o dolara. Kiedy koszyk do mnie dotarł, starannie odegrałem scenę wrzucania pieniędzy, żeby Holly zauważyła, jaki jestem hojny.

Dopiero kiedy wrzuciłem banknot, zorientowałem się, że mama dała mi DWADZIEŚCIA dolarów zamiast jednego. Chciałem wziąć resztę z koszyka, ale było za późno.

Mam nadzieję, że za TAKI datek będę miał przody w niebie.

Podobno jak człowiek robi coś dobrego, wcale nie powinien się tym przechwalać, ale MOIM zdaniem to kompletnie nie ma sensu.

Jeśli zacznę ukrywać moje dobre uczynki, to na pewno będę potem żałował.

Jak już mówiłem, msza wielkanocna jest MEGAdługa. Jedna pieśń trwała pięć minut, więc zacząłem szukać jakiejś rozrywki.

Kiedy Rodrick się nudzi, zaczyna dla zabawy skubać strupa na dłoni (nigdy nie pozwala mu się całkiem zagoić), ale mnie to raczej nie kręci.

Manny to się dopiero URZĄDZIŁ. Rodzice pozwalają mu przynosić do kościoła całą masę zabawek. Wierzcie mi, ja w jego wieku nie mogłem niczego przynosić.

No ale rodzice ZAWSZE traktują Manny'ego jak małe bobo. Dam wam przykład. W zeszłym tygodniu Manny był w przedszkolu, a kiedy otworzył pudełko z drugim śniadaniem, okazało się, że jego kanapka jest przecięta na DWIE, a nie na CZTERY części (Manny lubi krojenie na ćwiartki).

Manny wpadł w szał i przedszkolanka musiała zadzwonić po rodziców. Mama wyszła z pracy i pojechała do przedszkola, tylko po to, żeby pociąć kanapkę.

Myślałem o tym dzisiaj w kościele i nagle coś przyszło mi do głowy. Pochyliłem się nad Mannym i szepnąłem:

Młodemu KOMPLETNIE odbiło.

Zaczął WYĆ i wszyscy w kościele patrzyli w naszą stronę. Nawet pastor przerwał, żeby sprawdzić, co się dzieje.

Mama nie mogła uspokoić Manny'ego, więc musieliśmy wyjść. Z tym że zamiast wyjść bocznymi drzwiami, poszliśmy przez sam środek kościoła.

Przechodząc koło ławki Hillsów, starałem się wyglądać na luzaka, ale w tych warunkach nie było to łatwe.

Tylko tata wstydził się bardziej niż ja. Próbował zasłonić twarz gazetką parafialną, ale jego szef zauważył go i pokazał uniesione kciuki.

Środa

Od czasu mszy atmosfera w domu jest napięta.
Mama wkurzyła się na mnie o to, że nazwałem
Manny'ego Ploopym, więc musiałem przypomnieć, że
wcale jej nie przeszkadzało, kiedy to MANNY tak
mówił. No i mama zabroniła wszystkim używania tego
słowa i powiedziała, że jak kogoś przyłapie, da mu
szlaban na tydzień. Oczywiście Rodrick błyskawicznie
wymyślił, jak obejść ten zakaz.

To nie jest PIERWSZY raz, kiedy mama zabroniła nam używania jakichś słów w domu. Niedawno wprowadziła zasadę „żadnego przeklinania", bo Manny szybko uczył się nowych wyrazów.

Jeśli ktoś zaklął przy Mannym, to musiał włożyć dolara do jego specjalnego słoika. W ten sposób młody nieźle się na nas dorobił.

Potem mama podniosła stawkę i zakazała również używania słów typu „durny" czy „ćmok" i tym podobnych. Żeby nie zbankrutować, Rodrick i ja wymyśliliśmy specjalne słowa, które znaczyły to samo, co przekleństwa, i od tego czasu ich używamy.

Czasami zapominam o tym, kiedy idę do szkoły, i wychodzę na kretyna. Na przykład dzisiaj David Nester wypluł gumę do żucia prosto na moje włosy. Strasznie go zwyzywałem, ale David chyba nie bardzo się przejął.

Poza tym od Wielkanocy tata strasznie się czepia mnie i Rodricka. Chyba ma dość tego, że zawsze robimy mu obciach przed szefem, panem Warrenem.

Tata wysłał Rodricka na kurs przygotowujący do matury, a MNIE kazał się zapisać do drużyny piłkarskiej.

Dziś były kwalifikacje. Trenerzy zorganizowali nam „test sprawnościowy": trzeba było biegać z piłką między palikami i tak dalej.

Robiłem, co mogłem, ale dostałem się do „niższej grupy wstępnie zaawansowanej". To pewnie określenie, którego dorośli używają zamiast: „Jesteś do kitu".

Po teście podzielono nas na zespoły. Miałem nadzieję, że moim trenerem będzie ktoś fajny, ktoś, kto nie traktuje sportu poważnie, na przykład pan Proctor albo pan Gibb, ale dostał mi się najgorszy z nich wszystkich, pan Litch.

Pan Litch to taki typ sierżanta, który uwielbia się wydzierać. Kiedyś był trenerem Rodricka i to właśnie z jego powodu Rodrick wypiął się na sport.

IDŹ SIĘ OSTRZYC!

Jutro mamy pierwszy poważny trening. Mam nadzieję, że z miejsca odpadnę, będę mógł wrócić do domu i grać na konsoli. Niedługo wyjdzie „Zakręcony Czarownik 2", a słyszałem, że jest ZARĄBISTY.

Czwartek

Dostałem się do drużyny z kilkoma obcymi dzieciakami. Pan Litch najpierw rozdał nam stroje, a potem kazał wymyślić jakąś nazwę dla drużyny.

Zaproponowałem, żebyśmy się nazywali Zakręceni Czarownicy, bo wtedy producent gier zostałby naszym sponsorem.

Jednak mój pomysł nie przypadł nikomu do gustu.
Jeden koleś stwierdził, że powinniśmy nazwać drużynę Czerwonoskórzy. Moim zdaniem to idiotyczne.
Po pierwsze, tak nazywają się KOSZYKARZE, a poza tym nasze stroje są NIEBIESKIE.

Ale oczywiście wszyscy inni byli ZACHWYCENI i ta nazwa wygrała. Potem pan Boone, asystent trenera, powiedział, że trochę się martwi, czy za Czerwonoskórych ktoś nie pozwie nas do sądu.

Jestem pewien, że ludzie mają lepsze rzeczy
do roboty niż pozywanie do sądu szkolnych drużyn
piłkarskich, ale jak już mówiłem, MOJE zdanie nikogo
nie obchodziło.

A drużyna postanowiła zmienić nazwę
na Czerwone SKÓRY, koniec i kropka.

Potem zaczął się trening. Pan Litch i pan Boone kazali
nam biegać w kółko, robić nożyce i całą masę innych
rzeczy, które nie mają nic wspólnego z piłką nożną.
W przerwach odpoczywałem przy kranie razem
z dwoma innymi „niżej wstępnie zaawansowanymi".
I za każdym razem, kiedy spóźnialiśmy się na boisko,
pan Litch wrzeszczał:

Doszliśmy do wniosku, że będzie zabawnie, jeśli przy następnym wrzasku wypniemy na niego tyłki.

No i następnym razem, kiedy pan Litch kazał nam ściągnąć dupska na boisko, wypiąłem na niego tyłek. Ale cała reszta totalnie mnie WYSTAWIŁA.

Pan Litch nie był zachwycony żartem i kazał mi obiec boisko jeszcze trzy razy.

Kiedy tata odebrał mnie po treningu, powiedziałem mu, że piłka nożna to chyba nie jest dobry pomysł, i poprosiłem, żeby pozwolił mi zrezygnować.

Wtedy tata się wkurzył i powiedział:

To nieprawda. Ja ciągle z czegoś rezygnuję, Rodrick
też. A Manny chodzi już do trzeciego albo czwartego
przedszkola.

Tak czy inaczej, mam wrażenie, że jeśli chcę
zrezygnować z piłki, będę musiał inaczej się do tego
zabrać.

Piątek
Odkąd gram w piłkę, zużywam ubrania dwa razy
szybciej niż kiedyś. Od pewnego czasu nie mam już
czystych, więc biorę rzeczy ze stosu brudów. Jednak
dzisiaj odkryłem, że wykorzystywanie brudnych
ciuchów może być ryzykowne.

Przechodziłem właśnie korytarzem koło grupki dziewczyn i z nogawki wypadły mi brudne gacie. Szedłem dalej, w nadziei, że dziewczyny nie skojarzą tych gaci ze mną.

Ale jeszcze tego samego dnia nieźle mi się za to oberwało.

Chyba muszę się szybko nauczyć, jak robić pranie,
bo nie mam już wyjścia. Jutro będę musiał włożyć
koszulkę z pierwszego ślubu wujka Gary'ego i wcale
mnie to nie cieszy.

W drodze do domu byłem trochę przybity, ale
potem stało się coś, co poprawiło mi humor. Rowley
powiedział, że w ten weekend jakiś koleś, którego
zna z lekcji karate, urządza całonocną imprezę,
i zapytał, czy nie miałbym ochoty z nim pójść.

Już chciałem powiedzieć, że nie ma mowy, ale
wtedy Rowley dodał coś, co mnie zainteresowało.
Ten chłopak, który urządza imprezę, mieszka przy
Pleasant Street, czyli niedaleko Holly Hills.

Dzisiaj przy obiedzie usłyszałem, jak kilka dziewczyn
rozmawia o tym, że HOLLY zaprasza gości
na sobotnią noc, więc to może być dla mnie ŻYCIOWA
szansa.

Na dzisiejszym treningu pan Litch podał nam wszystkim pozycje, na których będziemy grać podczas pierwszego niedzielnego meczu. Ja mam być lataczem i na początku ta nazwa bardzo mi się podobała, więc po powrocie do domu zacząłem się przechwalać przed Rodrickiem.

Myślałem, że Rodrick będzie pod wrażeniem, ale on tylko się roześmiał. Wyjaśnił mi, że latacz nie ma żadnej pozycji na boisku – to tylko taki gość, który lata po piłkę, kiedy ta wyleci na aut. Potem pokazał mi podręcznik do piłki nożnej i faktycznie, latacza tam nie było.

Rodrick zawsze robi mnie w balona, więc chyba będę musiał poczekać do niedzieli i przekonać się, czy tym razem mówił prawdę.

Niedziela
Przypomnijcie mi, żebym już nigdy nie szedł z Rowleyem na całonocną imprezę.

Wczoraj po południu mama podrzuciła mnie i Rowleya do domu jego kumpla. Od razu się zorientowałem, że czeka mnie długa noc, bo w domu nie było ani jednego dzieciaka powyżej szóstego roku życia.

A poza tym wszyscy byli ubrani w stroje do karate.

Poszedłem tam TYLKO po to, żeby móc zakraść się
na imprezę Holly Hills. Niestety, kumple Rowleya
bardziej się interesowali „Ulicą Sezamkową"
niż dziewczynami.

Wszyscy chcieli się bawić w jakieś durne gry, takie
jak ciuciubabka. Zamiast grać w butelkę z Holly Hills,
spędziłem cały wieczór, unikając macających na oślep
pierwszaków.

Kumple Rowleya grali też w muzyczne krzesła
i twistera.

Wymknąłem się na górę, kiedy ktoś zaproponował zabawę „Kto mnie polizał?".

Próbowałem dodzwonić się do mamy, żeby mnie stamtąd zabrała, ale ona wyszła gdzieś z tatą, więc dotarło do mnie, że jestem uziemiony na całą noc.

Koło wpół do dziesiątej postanowiłem pójść spać i jakoś przetrzymać do rana, ale wtedy wszyscy wpadli do sypialni i urządzili sobie wielką bitwę na poduszki. Wierzcie mi, trudno zasnąć, kiedy co pięć sekund spada na człowieka spocony dzieciak.

W końcu na górę przyszła też mama kumpla Rowleya i kazała wszystkim iść do łóżek.

Nawet po zgaszeniu światła Rowley i jego kumple
gadali i chichotali. Myśleli chyba, że śpię, bo
w pewnym momencie postanowili wrobić mnie
w sztuczkę z ręką w misce ciepłej wody.

Wtedy mi się przejadło. Zszedłem na dół, żeby
przespać się w piwnicy, mimo że było tam kompletnie
ciemno i nie mogłem znaleźć kontaktu. Śpiwór
zostawiłem na górze – duży błąd, bo w piwnicy było
LODOWATO.

Mimo wszystko NIE chciałem wracać na górę po swoje
rzeczy. Zwinąłem się tylko w kłębek i próbowałem
zachować jak najwięcej ciepła, żeby jakoś przetrwać
do rana.

To była chyba najdłuższa noc w moim życiu.

BRRR,
BRRR!

Po wschodzie słońca zrozumiałem, czemu w piwnicy
było tak strasznie zimno. Spałem tuż koło
rozsuwanych szklanych drzwi, które jakiś idiota
zapomniał zamknąć na noc.

Co za kanał! Gdybym wczoraj wieczorem wiedział,
jak stamtąd uciec, na BANK bym to zrobił.

Po powrocie do domu od razu wskoczyłem do łóżka,
ale tata mnie obudził i kazał iść na trening.

Okazuje się, że Rodrick miał rację z tym lataczem.
Przez cały mecz wyciągałem piłkę z krzaków
i to naprawdę nie było nic przyjemnego.

Nasza drużyna wygrała. Potem mieliśmy świętować.
Tata nie mógł zostać, więc zapytał pana Litcha, czy
mógłby mnie potem odwieźć do domu.

Szkoda, że nie zapytał najpierw MNIE, bo wolałbym
wrócić do domu z tatą.

Od tego biegania po krzakach byłem jednak strasznie głodny, więc postanowiłem iść z resztą drużyny.

Poszliśmy do baru i zamówiłem dwadzieścia kawałków smażonego kurczaka. Potem poszedłem do kibla, a kiedy wróciłem, żarcia już nie było. I wtedy Erick Bickford wypuścił moje kawałki kurczaka ze swoich spoconych łap.

Widzicie? Właśnie dlatego nie lubię sportów zespołowych.

Po obiedzie Kenny Keith, Erick i ja wsiedliśmy do samochodu pana Litcha. Kenny usiadł z tyłu razem z Erickiem, a ja z przodu, obok kierowcy.

Musieliśmy dość długo czekać, bo pan Litch siedział na masce samochodu i gadał z panem Boone'em. Po chwili Kenny wychylił się do przodu i na jakieś trzy sekundy wcisnął klakson.

Potem piorunem wrócił na miejsce, więc kiedy pan Litch się obejrzał, wyglądało to tak, jakbym JA zatrąbił. Pan Litch popatrzył na mnie ze złością, a potem się odwrócił i przez kolejne pół godziny gadał z asystentem.

W drodze do domu zatrzymał się z pięć razy, żeby coś załatwić. I wcale mu się nie spieszyło.

A teraz najlepsze: Kenny i Erick są wkurzeni,
bo uważają, że to przeze MNIE tak późno wrócili
do domu. Teraz już kapujecie, z jakimi głąbami
muszę się zadawać.

Pan Litch odwiózł mnie jako ostatniego. Kiedy
jechaliśmy pod górę, zauważyłem państwa Snellów,
którzy stali na podwórku i chyba próbowali nakręcić
jakiś filmik do „Najzabawniejszej rodziny Ameryki".

Wygląda na to, że nie chce im się czekać do imprezy
półrodzinowej Setha.

<u>Wtorek</u>

Dzisiaj był prima aprilis i mój dzień zaczął się tak:

W inny dzień NIE MA SZANS, żeby wyciągnąć
Rodricka z łóżka przed ósmą rano, ale w prima aprilis
gość zawsze wstaje wcześniej, żeby się zabawić.

Ktoś naprawdę powinien mu wyjaśnić, na czym
właściwie polega „kawał", bo wszystkie kawały
Rodricka kończą się tak, że ja obrywam.

W zeszłym roku założył się ze mną o pięćdziesiąt
centów, że nie zawiążę butów na stojąco, a ja
TOTALNIE dałem się na to nabrać.

Wszedłem do domu i powiedziałem tacie, że Rodrick strzelił mi w tyłek z karabinu do paintballa. Tata nie miał ochoty mieszać się w nasze kłótnie, więc powiedział tylko Rodrickowi, żeby dał mi wygrane pięćdziesiąt centów.

Rodrick wyjął dwie monety z kieszeni i rzucił je na ziemię. Chyba nie wyciągnąłem odpowiednich wniosków, bo pochyliłem się, żeby je podnieść.

MOJE kawały są przynajmniej inteligentne.

W zeszłym roku nieźle nabrałem Rowleya. Byliśmy
w kinie i poszliśmy do kibla. Tam przekonałem
Rowleya, że gość stojący przy pisuarze to zawodowy
sportowiec.

No i Rowley poszedł poprosić o autograf.

A dzisiaj wycięliśmy fajny kawał Chiragowi Gupcie.

Postanowiliśmy, że będzie super, jeśli przekonamy
go, że traci słuch, więc w jego obecności gadaliśmy
bardzo cicho.

Chirag szybko skapował, co jest grane, i od razu
poszedł do nauczyciela, żeby ten zrobił z nami
porządek, zanim się rozkręcimy. Chyba nie chciał,
żeby było tak, jak z Niewidzialnym Chiragiem
rok temu.

<u>Piątek</u>

Dzisiaj graliśmy drugi mecz. Kilku dorosłych zgłosiło
się do podawania piłki, dlatego przez cały czas
siedziałem na ławce.

Było STRASZNIE zimno, więc zapytałem tatę, czy
mogę pójść do samochodu po kurtkę, ale on się
nie zgodził.

Powiedział, że powinienem być gotowy, na wypadek
gdyby trener chciał mnie posłać na boisko, więc muszę
jakoś wytrzymać.

Zamierzałem mu odpowiedzieć, że trener wyśle mnie
na boisko tylko w czasie przerwy, żebym zebrał skórki
po pomarańczach. Postanowiłem jednak nic nie
mówić i skupiłem się na tym, żeby ochraniacze
nie przymarzły mi do nóg.

Zawsze kiedy pan Litch zwoływał naradę, tata kazał mi
dołączać do reszty drużyny. Widzieliście kiedyś mecz
w telewizji? Zastanawialiście się, o czym myślą gracze
rezerwowi, kiedy stoją z innymi i słuchają wskazówek
trenera?

Mogę wam powiedzieć.

Po zachodzie słońca zrobiło się NAPRAWDĘ lodowato. Mackey Creavey i Manuel Gonzales przynieśli sobie ŚPIWORY z samochodu Creaveyów.

A tata dalej nie pozwalał mi skoczyć po kurtkę.

Podczas przerwy technicznej wszyscy zebrali się na naradę. A kiedy trener zauważył Mackeya i Manuela, pozwolił im iść do samochodu Creaveyów i spędzić tam resztę meczu.

No i Mackey z Manuelem mogli siedzieć w ogrzewanym aucie, za to ja musiałem tkwić w szortach na zimnej metalowej ławce. A tak się składa, że w samochodzie Creaveyów jest telewizor, więc ci goście naprawdę nieźle się bawili.

Poniedziałek

NAJWYŻSZY CZAS, żebym zrobił coś z brudnymi ciuchami. Od trzech dni nie mam już czystej bielizny, więc noszę kąpielówki.

Dzisiaj przebieraliśmy się na wuefie, a ja kompletnie zapomniałem, co mam na sobie.

Ale mogło być gorzej. Mam parę majtek z Wonder Woman, których nawet jeszcze nie rozpakowałem, a dziś strasznie mnie kusiło, żeby je włożyć.

Wierzcie mi, nie prosiłem się o majtki Wonder Woman. Ostatniego lata kilka osób z rodziny pytało mamę, co chciałbym dostać na urodziny, a ona powiedziała im, że mam świra na punkcie komiksów i superbohaterów.

Majtki były prezentem od wujka Charliego.

Po lekcjach graliśmy kolejny mecz, ale robi się coraz cieplej i nie musiałem martwić się o zimno.

W szkole umówiłem się z Mackeyem i Manuelem, że przyniesiemy dziś trochę gier wideo, i po raz pierwszy DOBRZE bawiliśmy się na meczu.

Niestety nie trwało to długo. Po dwudziestu
minutach meczu pan Litch zawołał nas
na boisko.

Podobno jakiś rodzic skarżył się, że jego dzieciak
w ogóle nie bierze udziału w meczu, więc pan Litch ustalił
nową zasadę i teraz KAŻDY z nas musi chwilę pograć.

Oczywiście żaden z nas nie zwracał uwagi na to, co się działo, więc kiedy weszliśmy na boisko, nie mieliśmy zielonego pojęcia, co robić ani gdzie stanąć.

Kilku gości z naszej drużyny powiedziało nam, że tamci będą teraz wykonywać „rzut wolny" i że mamy stanąć obok siebie, żeby zasłonić bramkę.

Myślałem, że ci goście robią sobie jaja, ale okazało się, że wcale nie. Manuel, Mackey i ja musieliśmy stanąć w szeregu przed naszą bramką. Potem sędzia gwizdnął, a koleś z przeciwnej drużyny rozpędził się i kopnął piłkę prosto w naszą stronę.

GWIZD!

Nie za dobrze poszło nam to zasłanianie i tamci
strzelili gola.

Pan Litch przy pierwszej okazji zdjął nas z boiska
i wydarł się, że nie zasłoniliśmy bramki.

Ale wiecie co? Jeśli mam wybierać między jego
wrzaskiem a oberwaniem piłką w twarz, to nie będę
się długo zastanawiał.

<u>Czwartek</u>

Po tamtym meczu w zeszłym tygodniu zapytałem pana Litcha, czy mógłbym zostać rezerwowym bramkarzem, i gość się zgodził.

To było genialne zagranie, i to z kilku powodów. Po pierwsze, bramkarze nie muszą biegać po boisku i ćwiczyć podczas treningów. Mają tylko indywidualne treningi z asystentem trenera.

Po drugie, bramkarze noszą inne stroje niż reszta drużyny, a to oznacza, że pan Litch nie może wstawiać mnie na boisko do blokowania rzutów wolnych.

Nasz pierwszy bramkarz, Tucker Fox, jest gwiazdą
drużyny, więc wiedziałem, że nigdy w życiu nie
zagram. Ostatnie mecze były całkiem FAJNE, ale dziś
stało się coś złego. Tucker stłukł sobie rękę podczas
skoku po piłkę i musiał zejść z boiska. A to oznaczało,
że trener wystawi MNIE.

Tata STRASZNIE się przejął, że w końcu będę
grał, i stanął na moim końcu boiska, żeby dawać mi
wskazówki z linii końcowej. Do niczego nie było mi
to potrzebne. Przez resztę meczu nasza drużyna
trzymała piłkę na drugiej połowie i ANI RAZU
nie musiałem jej dotknąć.

GREG, KONIECZNIE
ZEGNIJ KOLANA!

Chyba wiem, co chodziło tacie po głowie.

Kiedyś grałem w minibaseball i nie mogłem skupić się na grze. Dziś wieczorem tata chciał dopilnować, żebym się nie rozpraszał tak jak wtedy.

Muszę przyznać, że w sumie czepianie się taty wyszło mi na dobre.

Na naszej połowie boiska rosło z MILION dmuchawców i w drugiej połowie zaczęły mnie świerzbić ręce.

<u>Poniedziałek</u>

Wczoraj graliśmy kolejny mecz. Na szczęście tata
go nie oglądał. Przegraliśmy pierwszy raz w sezonie,
1:0. Jakimś cudem drużyna przeciwna wkopała mi gola
w ostatnich sekundach i wygrała mecz. I tak przepadł
nasz superrekord.

Po meczu wszyscy goście z naszej drużyny byli
w parszywym humorze, więc starałem się jakoś ich
pocieszyć.

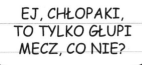

Chłopaki podziękowały mi za to, rzucając we mnie
skórkami z pomarańczy.

Po powrocie do domu bałem się opowiedzieć tacie
o meczu.

Tata chyba był trochę rozczarowany, ale szybko mu przeszło.

Jednak dziś wieczorem tata wrócił do domu wściekły. Rzucił gazetę na stół, a ja zobaczyłem zdjęcie na stronie z wiadomościami sportowymi.

Stracona okazja

Bramkarz Czerwonych Skór, Gregory Heffley, zrobił sobie przerwę, w momencie kiedy środkowy napastnik Wściekłych Psów, James Byron, posłał mu strzał z odległości pięćdziesięciu metrów. Wynik meczu oznacza koniec świetnej passy Czerwonych Skór w tym sezonie.

Tata dowiedział się o tym od szefa.

MASZ ŚWIETNEGO
SYNA, FRANK!

Okej, może nie zdałem tacie SZCZEGÓŁOWEJ
relacji z meczu. Na swoją obronę muszę
powiedzieć, że dopiero z gazety dowiedziałem się,
jak to było.

Tata nie odezwał się do mnie przez resztę wieczoru.
Jeśli jest zły, to mam nadzieję, że szybko mu
przejdzie. Dzisiaj wyszedł wreszcie „Zakręcony
Czarownik 2" i liczę na trochę kasy, żeby
móc go kupić.

Piątek

Dziś po kolacji tata zabrał mnie i Rodricka do kina.
Ale to nie był żaden miły gest. Po prostu
nie chciał siedzieć w domu.

Pamiętacie, jak pisałem, że kilka miesięcy temu
mamie odbiło na punkcie aerobiku? Dała sobie siana
po pierwszych zajęciach. Tego dnia, zanim poszła na
siłownię, tata zrobił jej zdjęcie w stroju do ćwiczeń.
Dzisiaj przysłali nam to zdjęcie.

Zakład fotograficzny robi dodatkowe odbitki, więc
tata dla żartu podpisał oba zdjęcia mamy i przykleił je
na lodówce.

Był z siebie naprawdę dumny, ale mamy jakoś to nie rozbawiło.

I dlatego tata chyba uznał, że powinien zejść dzisiaj mamie z drogi.

Poszliśmy do nowego kina, które niedawno otworzyli w centrum handlowym. Kupiliśmy bilety, weszliśmy do środka i daliśmy je bileterowi, nastolatkowi z dziwną fryzurą. Z początku nie wiedziałem, kto to jest, ale tata od razu go poznał.

Przeczytałem imię na identyfikatorze i nie mogłem uwierzyć własnym oczom. To był LENWOOD HEATH, koszmarny nastolatek, który mieszkał kiedyś przy naszej ulicy. Ostatnim razem, kiedy go widziałem, miał długie włosy i właśnie podpalił czyjś kosz na śmieci. A teraz stał przed nami i wyglądał, jakby go wypuścili z wojska.

Tata był NAPRAWDĘ pod wrażeniem nowego
wizerunku Lenwooda i wdał się z gościem w rozmowę.

Lenwood powiedział, że chodzi do szkoły wojskowej
i że pracuje w kinie w czasie przerwy semestralnej.
Potem dodał, że pracuje na dobre oceny, żeby dostać
się do Akademii West Point.

I nagle tata zaczął traktować Lenwooda jak
najlepszego kumpla. A to naprawdę dziwne, biorąc
pod uwagę ich dawne doświadczenia.

DAWNIEJ   TERAZ

Tata gadał w najlepsze z Lenwoodem, więc Rodrick i ja kupiliśmy popcorn i weszliśmy do sali. I dopiero w połowie filmu zdałem sobie sprawę, co tak NAPRAWDĘ jest grane.

Jeśli tata zobaczy, że szkoła wojskowa potrafiła zrobić mężczyznę z kogoś takiego jak Lenwood Heath, to równie dobrze może uznać, że zrobi też mężczyznę z takiego mięczaka jak JA.

Modlę się, żeby tata nie wpadł na ten pomysł. I okropnie się boję, bo dziś po kinie był w świetnym humorze. DAWNO nie widziałem go w takim stanie.

Poniedziałek

Moje obawy się potwierdziły. Tata przez cały weekend szukał informacji na temat wakacyjnej szkoły wojskowej, a dziś powiedział, że mnie tam zapisze.

Najgorsze jest to, że „nowi rekruci" muszą zgłosić się siódmego czerwca, czyli wtedy, kiedy mam WAKACJE.

Tata próbował mnie przekonać, że to świetny pomysł i że szkoła wojskowa zrobi ze mnie prawdziwego twardziela. Ale ja NIE TAK wyobrażałem sobie wakacje.

Powiedziałem tacie, że w szkole wojskowej nie przeżyję ani jednego dnia. Przede wszystkim mieszkają tam dzieciaki z nastolatkami, a to nie jest dobry pomysł.

Starsi goście na pewno zaczęliby się nade mną znęcać już pierwszego dnia.

Ale jeszcze bardziej martwią mnie łazienki. W szkole wojskowej na pewno mają wspólne prysznice, bez osobnych kabin, a to nie dla mnie.

Ja potrzebuję prywatności. Nie korzystam ze szkolnych łazienek, chyba że nie mam już wyboru.

W kilku klasach są toalety, ale nigdy tam nie chodzę,
bo każdy dźwięk świetnie słychać w całej sali.

Jest jeszcze łazienka przy stołówce, ale to już
zupełne wariatkowo. Kilka tygodni temu ktoś wpadł
na pomysł rzucania mokrym papierem toaletowym
i teraz kibel wygląda jak pole bitwy.

W takich warunkach nie potrafię się skupić, więc czekam, aż wrócę do domu.

Kilka dni temu wydarzyło się coś, co zmieniło tę sytuację. Woźny umieścił w łazienkach odświeżacze powietrza.

Rozpuściłem plotkę, że to kamery, które mają nagrać osoby rzucające mokrym papierem.

Wygląda na to, że powiedziałem o tym właściwym ludziom, bo od tamtego czasu w łazience przy stołówce jest spokojniej niż w bibliotece.

Rozwiązałem więc problem w naszej szkole, ale raczej nie powtórzę tego wyczynu w szkole wojskowej. A NA PEWNO nie wytrzymam w niej przez całe lato.

Wiedziałem, że taty nie przekonam, więc poszedłem do mamy. Powiedziałem jej, że nie chcę jechać gdzieś, gdzie ogolą mi głowę i każą robić pompki codziennie o piątej rano. Miałem nadzieję, że mama się ze mną zgodzi i przemówi tacie do rozsądku.

Ale chyba nie mogę na to liczyć.

MOIM ZDANIEM BĘDZIESZ
BARDZO PRZYSTOJNY
W MUNDURZE!

Środa

Wiedziałem, że muszę działać szybko, żeby przekonać
tatę, jaki ze mnie twardziel, i żeby nie wysłał mnie
do szkoły wojskowej. Dlatego powiedziałem mu,
że chciałbym wstąpić do harcerstwa.

Strasznie się ucieszył. Co za ulga!

Chciałem, żeby tata dał mi święty spokój, ale miałem
też inne powody. Po pierwsze, zbiórki odbywają się
w niedziele, czyli będę mógł zrezygnować z piłki
nożnej.

A po drugie, najwyższy czas, żeby dzieciaki w szkole zaczęły mnie szanować.

W moim miasteczku są aż DWIE drużyny harcerskie: drużyna 24, w naszym sąsiedztwie, i drużyna 133, jakieś osiem kilometrów stąd. Drużyna 133 co chwila urządza pikniki, imprezy basenowe i tym podobne, a drużyna 24 ciągle pracuje społecznie w weekendy. Zdecydowanie bardziej pasuję do drużyny 133.

Problem w tym, żeby tata nie dowiedział się o drużynie 24, bo NA MUR BETON właśnie tam by mnie zapisał.

Dziś wieczorem w drodze do centrum handlowego mijaliśmy gości z 24 sprzątających w parku.

Na szczęście w ostatniej chwili udało mi się odwrócić uwagę taty.

Niedziela

Dziś miałem pierwszą zbiórkę harcerską, na szczęście z drużyną 133. Namówiłem Rowleya, żeby też się zapisał. Kiedy przyjechaliśmy na miejsce, spotkaliśmy się z panem Barrettem, harcmistrzem, który kazał nam wyrecytować Ślubowanie Wierności i tym podobne rzeczy, a potem przyjął nas do drużyny i nawet dał mundurki.

Rowley się ucieszył, bo uznał, że mundurek jest fajny. A ja cieszyłem się po prostu, że mam wreszcie czystą koszulę.

Po włożeniu mundurków dołączyliśmy do reszty
drużyny i zaczęliśmy zdobywać sprawności.
Sprawności to takie małe naszywki, które dostaje się
za robienie różnych męskich rzeczy.

Rowley i ja zaczęliśmy przeglądać podręcznik, żeby
wybrać sobie jakąś sprawność. Rowley miał ochotę
na coś trudnego, na przykład Przetrwanie w Dziczy
albo Sprawność Fizyczną, ale zniechęciłem go
do tego. Powiedziałem, że na początek powinniśmy
zrobić coś łatwego i przyjemnego. W końcu wybraliśmy
struganie.

Okazało się to dużo trudniejsze, niż sądziłem.
Wyrzeźbienie czegokolwiek w kawałku drewna trwa
całe WIEKI, a Rowley już po pięciu minutach wbił
sobie drzazgę w palec.

Dlatego poszliśmy do pana Barretta i zapytaliśmy, czy nie możemy zrobić czegoś mniej NIEBEZPIECZNEGO.

Pan Barrett powiedział, że jeśli mamy problemy ze struganiem w drewnie, to może powinniśmy przerzucić się na mydło. I wtedy zrozumiałem, że drużyna 133 to był dobry wybór.

Zaczęliśmy rzeźbić w mydle. Po chwili odkryłem coś fajnego. Jeśli mydło jest wystarczająco mokre, można ugnieść je w każdy kształt. Dlatego odłożyliśmy noże do rzeźbienia i zaczęliśmy ŚCISKAĆ mydło rękami.

Najpierw ulepiłem owcę. Pokazałem ją panu Barrettowi, a on zaliczył mi struganie.

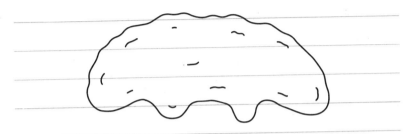

Nie wiedziałem, co teraz robić, więc odwróciłem owcę do góry nogami i zaprezentowałem ją jako Titanica.

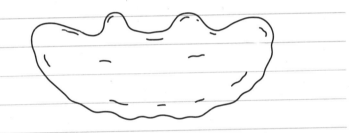

Wierzcie lub nie, ale pan Barrett przyjął też i TO.

TO BYŁA STRASZNA TRAGEDIA!

W ten sposób Rowley i ja zdobyliśmy sprawności za struganie i przyczepiliśmy je do naszych mundurków. Kiedy wróciłem do domu, tata był pod wrażeniem. Gdybym wiedział, że tylko tyle potrzeba mu do szczęścia, zostałbym harcerzem już z pół roku temu.

MAJ

Niedziela

Kilka dni temu pan Barrett ogłosił, że w ten weekend nasza drużyna organizuje kemping dla ojców i synów, więc spytałem tatę, czy pojedzie ze mną. Zdziwiłem się, że tak łatwo było mu zaimponować jedną małą odznaką, więc doszedłem do wniosku, że jeśli przez CAŁY WEEKEND będzie mnie oglądał jako twardziela, wpadnie w totalny zachwyt.

Niestety, wczoraj rano obudziłem się strasznie chory. Nie mogłem pojechać, ale tata MUSIAŁ, bo zgłosił się na kierowcę.

Prawie cały dzień spędziłem w łóżku. Szkoda, że zachorowałem w sobotę, a nie w ciągu tygodnia.

W zeszłym roku nie opuściłem ani jednego dnia szkoły i obiecałem sobie, że to się już NIE powtórzy.

Kemping dla ojców i synów okazał się KATASTROFĄ.
Wczoraj, o dziesiątej wieczorem, zadzwonił telefon
– to był tata, który wylądował na ostrym dyżurze.

Dzielił namiot z braćmi Woodley, Darrenem
i Marcusem, bo ich ojciec nie mógł przyjechać. Darren
i Marcus szaleli w namiocie, chociaż tata powtarzał,
żeby poszli już spać. W pewnym momencie Darren
rzucił w Marcusa piłką i walnął go w brzuch.

Marcus posikał się w spodnie, co strasznie rozbawiło
Darrena.

No i Marcusowi kompletnie ODBIŁO. Gość ugryzł
Darrena i nie chciał go puścić.

Tata długo nie mógł ich rozdzielić, a potem musiał
zabrać Darrena na pogotowie.

Dzisiaj rano wrócił do domu i NIE był mi wdzięczny,
że wpakowałem go w takie bagno. Mam też
przeczucie, że po tym weekendzie nie jest
już fanem drużyny 133.

Niedziela

Dzisiaj był Dzień Matki, a ja nie miałem prezentu
dla mamy.

Chciałem poprosić tatę, żeby zabrał mnie do sklepu,
gdzie mógłbym przynajmniej kupić jej kartkę albo
coś takiego, ale on ciągle dochodził do siebie po tej
wycieczce dla ojców i synów.

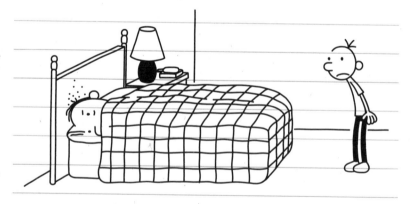

I chyba nie był w nastroju, żeby mi pomagać.

Dlatego musiałem sam skombinować prezent. Rok temu zrobiłem dla mamy zestaw kuponów na prace domowe. Na każdym kuponie było coś w stylu: „Darmowe koszenie trawnika", „Darmowe mycie okiem" albo:

Darmowe mycie samochodu

Tacie daję taki zestaw na Dzień Ojca prawie co rok i to się naprawdę sprawdza. Ja nie muszę wydawać pieniędzy na prezent, a tata i tak nigdy nie wykorzystuje swoich kuponów.

Mama w zeszłym roku wykorzystała WSZYSTKIE kupony CO DO JEDNEGO. Dlatego nie powtórzę już tego błędu.

Próbowałem wymyślić coś oryginalnego dla mamy, ale zabrakło mi czasu. W końcu podpiąłem się pod prezent Manny'ego.

Poniedziałek

Uznałem, że tata zapomni o tej nieszczęsnej
wycieczce, jeśli urządzę mu poprawkę. Dlatego dziś
wieczorem zapytałem, czy chciałby się wybrać
na kemping tylko ze mną.

Poczytałem sobie „Vademecum Harcerza" i mam
straszną ochotę pokazać tacie, czego się już
nauczyłem.

Tata nie zapalił się jakoś szczególnie do tego pomysłu,
ale mama była ZACHWYCONA. Powiedziała, że
powinniśmy jechać już w najbliższy weekend i zabrać
też Rodricka. Jej zdaniem to doświadczenie wspaniale
pozwoli nam wszystkim „zbliżyć się" do siebie
nawzajem.

Nie byłem przekonany, Rodrick zresztą
też nie.

Prawdę mówiąc, wymyśliłem ten wyjazd również po to,
żeby na cały weekend wyrwać się z domu, bo Rodrick
i ja jesteśmy na wojennej ścieżce.

Wczoraj wieczorem mama strzygła go w kuchni.
Zwykle podczas strzyżenia okrywa nas ręcznikiem,
żeby włosy nie przyczepiały się do ubrań, ale wczoraj
zamiast ręcznika wzięła swoją starą sukienkę ciążową.
Kiedy zobaczyłem Rodricka, od razu wiedziałem, że
muszę zrobić z tego użytek.

Pobiegłem na górę i zamknąłem się w łazience, żeby Rodrick nie mógł mnie złapać i odebrać mi aparatu. Na dół wróciłem dopiero wtedy, kiedy się upewniłem, że już go tam nie ma.

Ale Rodrick i tak się na mnie odegrał. Wczoraj w nocy śniło mi się, że śpię na gnieździe czerwonych mrówek, a wszystko dzięki niemu.

Moim zdaniem jesteśmy teraz kwita. Ale nauczyłem się już, że Rodrick nigdy nie odpuszcza. I właśnie dlatego niespecjalnie się palę do spędzenia z nim w namiocie całego weekendu.

<u>Sobota</u>

Dzisiaj tata, Rodrick i ja wybraliśmy się na wycieczkę. Znalazłem miejsce, które świetnie się nadaje do robienia męskich rzeczy.

W drodze na kemping zachmurzyło się i zaczęło lać.

Nie zmartwiłem się za bardzo, bo namiot jest
wodoodporny, a poza tym mama spakowała nam
wszystkim peleryny. Niestety, kiedy dotarliśmy
na miejsce, było tam z piętnaście centymetrów wody.

Znajdowaliśmy się daleko od domu, więc tata
postanowił, że po prostu znajdziemy inny nocleg.

Przybiło mnie to, bo chciałem przecież zaimponować
mu swoimi umiejętnościami harcerskimi, a teraz
mieliśmy zanocować w jakimś głupim hotelu.

Tata znalazł nam pokój z dwoma łóżkami i wersalką.
Przez chwilę oglądaliśmy telewizję, a potem
zaczęliśmy zbierać się do spania.

Najpierw tata zszedł do recepcji, żeby poskarżyć się
na zbyt głośny grzejnik, więc zostałem sam
na sam z Rodrickiem.

Poszedłem do łazienki, żeby umyć zęby, a kiedy
wyszedłem, zobaczyłem, że Rodrick wygląda przez
wizjer. Potem powiedział coś, co kompletnie mnie
zmroziło.

Oświadczył, że Holly Hills i jej tato stoją
na korytarzu i że będą nocować w pokoju
NAPRZECIWKO nas. Musiałem to zobaczyć na własne
oczy, więc go odsunąłem i sam wyjrzałem przez
wizjer.

Korytarz był kompletnie pusty. A zanim zdążyłem skapować, że to kawał, Rodrick popchnął mnie z całej siły i wypadłem na zewnątrz.

Potem było jeszcze GORZEJ. Rodrick zamknął za mną drzwi i zostałem sam na korytarzu, ubrany tylko w białe majtki.

Waliłem w drzwi, ale Rodrick nie wpuścił mnie
do środka.

Narobiłem strasznego rabanu i zdałem sobie sprawę,
że ludzie z innych pokoi zaraz zaczną otwierać drzwi,
żeby sprawdzić, co się dzieje, więc schowałem się za
rogiem, bo nie chciałem narobić sobie obciachu, kiedy
ktoś mnie zobaczy. Przez jakiś kwadrans błąkałem się
po korytarzach i kryłem na dźwięk cudzych głosów.

Chciałem wrócić do pokoju i błagać Rodricka, żeby
mnie wpuścił, ale wtedy przypomniałem sobie, że nie
pamiętam NUMERU. A wszystkie drzwi wyglądały
tak samo.

Nie mogłem zejść do recepcji. Musiałem poszukać taty. Przypomniałem sobie, że jest uzależniony od śmieciowego żarcia i że na pewno znajdę go przy automatach ze słodyczami, więc tam właśnie poszedłem.

Wcisnąłem się między automat z napojami i automat z batonikami. Czekałem. Po bardzo długiej chwili tata w końcu się pojawił.

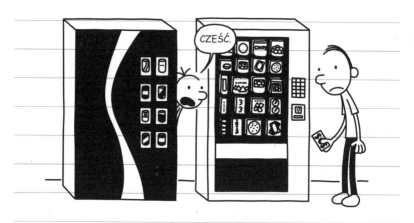

Ale wiecie co? Na widok jego miny pożałowałem, że nie zebrałem się na odwagę i nie poszedłem do recepcji.

<u>Niedziela</u>

Po tamtej wycieczce jestem już prawie pewien, że
nie wywinę się od szkoły wojskowej, więc przestałem
przekonywać tatę.

Do wyjazdu zostały mi raptem trzy tygodnie
i pomyślałem, że to może być moja ostatnia szansa
na poderwanie Holly Hills. Jeśli dopisze mi szczęście,
będę miał co wspominać w szkole wojskowej i wakacje
nie okażą się całkiem do chrzanu.

Od dawna myślę o tym, żeby porozmawiać z Holly,
i w końcu uznałem, że teraz albo nigdy.

Kiedy poszliśmy dziś do kościoła, starałem się,
żebyśmy usiedli koło rodziny Hillsów. Wylądowaliśmy
dwa rzędy przed nimi – w sumie całkiem blisko.
Podczas tej części mszy, kiedy wszyscy podają sobie
ręce, przystąpiłem do akcji.

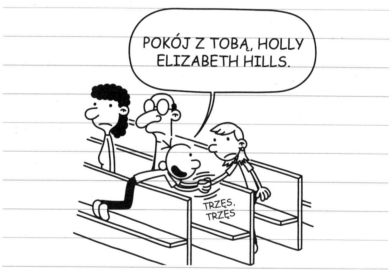

POKÓJ Z TOBĄ, HOLLY
ELIZABETH HILLS.

TRZĘS,
TRZĘS

Była to dopiero pierwsza część mojego planu.
Drugą część przewidziałem na wieczór. Chciałem
zadzwonić do Holly Hills i zacząć rozmowę od tekstu
o podawaniu rąk.

CZEŚĆ, HOLLY, TU GREG HEFFLEY. MOŻE PAMIĘTASZ NASZ WYJĄTKOWY UŚCISK RĄK W KOŚCIELE?

(RUMIENIEC)

Podczas kolacji powiedziałem wszystkim, że muszę zadzwonić w bardzo ważnej sprawie, więc proszę o zwolnienie telefonu. Rodrick chyba wykminił, że chcę dzwonić do dziewczyny, bo pochował wszystkie słuchawki.

A to oznaczało, że mogę zadzwonić tylko ze stacjonarnego telefonu w kuchni, co było ABSOLUTNIE wykluczone.

Poskarżyłem się, że Rodrick zabrał słuchawki, i mama kazała mu odłożyć je na miejsce.

W końcu Rodrick zszedł do piwnicy, a ja zakradłem się do sypialni rodziców, żeby zadzwonić do Holly. Zgasiłem światło i schowałem się pod kocem. Potem odczekałem dwadzieścia minut, bo chciałem się upewnić, że Rodrick mnie nie śledzi.

Nie zdążyłem jednak wybrać numeru Holly, ponieważ ktoś wszedł do pokoju i włączył światło. Byłem PEWIEN, że to Rodrick.

Ale to był TATA.

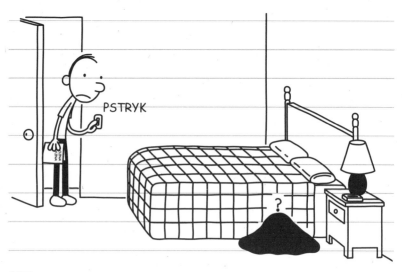

Postanowiłem się nie ruszać, żeby wziął sobie to, czego szuka, i poszedł.

Jednak tata nie wyszedł. Położył się na łóżku i zaczął czytać KSIĄŻKĘ.

Powinienem był ujawnić się w momencie, kiedy tata wszedł do sypialni, bo teraz nie mogłem tak po prostu wstać i wyjść – mógłby dostać zawału. Dlatego postanowiłem bardzo powoli wymknąć się z pokoju.

Poruszałem się w tempie dwóch, trzech centymetrów na sekundę. Policzyłem sobie, że w ten sposób wyjdę za jakieś pół godziny, ale i tak wystarczy mi czasu na telefon do Holly.

SZUR,
SZUR

Byłem już półtora metra od drzwi, kiedy w mojej dłoni zadzwonił telefon. Okropnie się przestraszyłem.

Tata PRAWIE dostał zawału. A gdy doszedł do siebie, nie ucieszył się na mój widok.

Kazał mi wyjść z pokoju i zatrzasnął drzwi.

Ta historia raczej nie poprawi naszych stosunków, ale teraz i tak już na to chyba za późno.

Wtorek

Minęły dwa dni, odkąd uścisnąłem dłoń Holly Hills, i nie chcę już dłużej czekać na kolejną rozmowę.

Na szczęście taty i Rodricka nie było dziś wieczorem w domu, więc mogłem bez przeszkód wykonać telefon. Z milion razy przećwiczyłem to, co powiem, i w końcu zebrałem się na odwagę, żeby zadzwonić.

Wybrałem numer Holly i czekałem. Ale właśnie wtedy mama podniosła słuchawkę na dole.

Mama ma PASKUDNY nawyk: dzwoni bez sprawdzenia, czy ktoś inny nie używa przypadkiem telefonu. I tak właśnie dziś zrobiła.

Chciałem jej przerwać, ale bez skutku.

Telefon w domu Holly dzwonił dalej i w końcu ktoś go odebrał. Mama Holly.

Moja mama była kompletnie skołowana, bo wcale nie dzwoniła do Hillsów. Ja wstrzymałem oddech i czekałem, aż to wszystko się skończy.

Mama i pani Hills dopiero po jakiejś minucie skapowały się, z kim właściwie rozmawiają. A kiedy już to zrobiły, ucięły sobie pogawędkę jak gdyby nigdy nic.

Najpierw długo rozprawiały o komitecie, zbieraniu składek i tak dalej. Nie mogłem odłożyć słuchawki, bo mama by to usłyszała i zorientowała się, że ktoś ich słuchał.

W końcu mamy zaczęły rozmawiać o mnie.

...POWIEDZIAŁ
DO BRATA:
PLOOPY.
HMM...

W tym momencie jednak odłożyłem słuchawkę i poszedłem do łóżka. Doszedłem do wniosku, że rozmowa z Holly nie jest mi pisana, i oficjalnie się poddałem.

<u>Piątek</u>

Dziś w szkole usłyszałem, jak Holly umawia się z koleżankami na rolki, i wpadłem na pewien pomysł. Po lekcjach poprosiłem mamę, żeby zabrała mnie wieczorem na tor.

Mama się zgodziła, ale powiedziała, że ktoś inny będzie musiał odwieźć mnie do domu, więc zaprosiłem Rowleya. Kiedy Rowley zjawił się w drzwiach, zrozumiałem, że to był błąd.

Miał nastroszone włosy jak jego ulubiony piosenkarz Joshie.

Pomalował też chyba usta jakimś błyszczykiem, ale nie jestem pewny. Nie mogłem martwić się jego

wyglądem, bo miałem WŁASNE problemy
na głowie. Wcześniej zgubiłem jedno szkło
kontaktowe, więc musiałem włożyć zapasowe
okulary. Ich szkła są strasznie grube i wyglądają
IDIOTYCZNIE.

Bez szkieł albo okularów jestem ślepy jak kret.
Dobrze, że nie żyję w czasach jaskiniowców,
bo nie mógłbym polować ani robić niczego
pożytecznego. Inni ludzie z mojego plemienia
na pewno by mnie spławili przy pierwszej lepszej
okazji.

Pewnie musiałbym zostać mędrcem albo kimś w tym stylu, żeby mnie jednak zatrzymano.

W drodze na tor dałem Rowleyowi instrukcje, jak ma się zachowywać, kiedy zacznę rozmawiać z Holly Hills. Znając go, wiedziałem, że mógłby mi nieźle zaszkodzić.

Szkoda, że nie zrobiłem tego PO wyjściu z samochodu, bo mama usłyszała naszą rozmowę.

Kiedy dojechaliśmy, od razu wysiadłem z auta, żeby mama nie powiedziała już NIC, czego nie chciałbym usłyszeć.

Zapłaciliśmy za wstęp i weszliśmy do środka. Wypożyczyliśmy rolki i zanieśliśmy je na miejsce, z którego miałem świetny widok.

Zauważyłem Holly przy barze. Stała tam z grupką koleżanek, więc nie chciałem jeszcze zaczynać rozmowy.

O dziewiątej DJ zapowiedział „taniec w parach". Mnóstwo ludzi dobrało się w pary, a Holly siedziała przy stole, całkiem sama. Wiedziałem, że to szansa, na którą czekałem.

Ruszyłem w jej stronę, ale jazda na rolkach jest DUŻO trudniejsza, niż myślałem. Musiałem trzymać się ściany, żeby nie upaść.

Trwało to STRASZNIE długo. Zrozumiałem, że zanim dotrę do Holly, skończy się piosenka, więc usiadłem na tyłku i zacząłem się ślizgać, żeby trochę przyspieszyć.

Kilka razy prawie mnie ktoś przejechał, ale w końcu dotarłem do baru. Holly dalej siedziała tam sama.

Czas uciekał, więc musiałem prześlizgnąć się na skróty przez kałużę rozlanego napoju, żeby ją zagadnąć.

W drodze do baru zastanawiałem się, co powiem. Wiedziałem, że w tej chwili nie wyglądam zbyt fajnie, więc muszę powiedzieć coś naprawdę czadowego, żeby zatrzeć to wrażenie. Jednak nie zdążyłem nawet otworzyć ust, bo Holly wymówiła cztery słowa, które zmieniły wszystko:

Zacząłem tłumaczyć, że jestem Greg Heffley, gość od żartu o psiej kupie, ale wtedy skończył się taniec w parach, a koleżanki Holly wpadły do baru i porwały ją na tor.

Wróciłem na ławkę i zostałem tam do końca wieczoru.
Wierzcie mi, NIE miałem ochoty na rolki.

Pewnie już dawno powinienem był dać sobie
spokój z Holly. Ktoś, kto myli mnie z FREGLEYEM,
zdecydowanie ma nie po kolei w głowie.

KONIEC z dziewczynami. Muszę spytać tatę, czy nie
mógłbym wcześniej pojechać do szkoły wojskowej,
bo nie mam tu po co siedzieć.

CZERWIEC

Piątek

Dzisiaj był koniec roku szkolnego i wszyscy świetnie się bawili. Tylko nie ja. WSZYSCY cieszą się z powodu wakacji, a mnie czekają tylko pompki i długie marsze. Podczas obiadu ludzie zbierali podpisy w swoich albumach pamiątkowych.

Kiedy mój album wrócił do mnie, na ostatniej stronie zobaczyłem dedykację:

Najpierw nie miałem pojęcia, kto to jest „Kolo", ale potem skapowałem, że chodzi o Rowleya. Kilka dni temu Rowley stał przy szafce kolesia ze starszej klasy i ten gość chciał, żeby Rowley zrobił mu miejsce, więc powiedział:

Pewnie Rowley myśli, że „Kolo" to jego nowe przezwisko. Mam nadzieję, że JA nie będę musiał tak do niego mówić.

Przerzuciłem kartki, żeby sprawdzić, kto jeszcze się wpisał, i zatrzymałem się przy jednej notce – Holly Hills.

Przede wszystkim wpisała moje prawdziwe imię, czyli od piątku dowiedziała się, kim jestem. A poza tym, napisała: DO ZOBACZENIA. Wierzcie mi, zobaczymy się jeszcze na pewno!

Greg!
Nie znam Cię za dobrze, ale chyba jesteś w porządku.

Do zobaczenia,

Holly

Pokazałem album Rowleyowi, żeby zobaczył, co Holly tam napisała, ale on pokazał mi wpis Holly w SWOIM albumie. W porównaniu z nim mój wpis wypada dość słabo.

Drogi Rowleyu!
Jesteś uroczy i zabawny! Mam nadzieję, że w przyszłym roku będziemy w jednej klasie. Nie zmieniaj się!

Uściski, Holly

Kilka minut później dotarł do nas album Holly, więc
miałem szansę też się wpisać. Napisałem tak:

Droga Holly!
Jesteś bardzo miłą osobą
i w ogóle, ale traktuję Cię tylko
jako koleżankę.

Kolo

Moim zdaniem wyświadczyłem Rowleyowi OGROMNĄ
przysługę. Nie chcę patrzeć, jak Holly Hills łamie mu
serce, a dziewczyny czasami potrafią być naprawdę
okrutne.

Sobota

Dzisiaj jest jedyny dzień moich wakacji, a musiałem
go spędzić na imprezie półrodzinowej Setha Snelli.
Poprosiłem mamę, żeby pozwoliła mi zostać w domu
i korzystać z wolnego czasu, ale ona stwierdziła,
że pójdziemy tam całą rodziną.

Tata nawet nie próbował z nią walczyć, bo też wiedział, że za ŻADNE skarby się z tego nie wykręci.

No i o trzynastej poszliśmy na drugą stronę ulicy, do domu państwa Snellów.

W tym roku naprawdę się postarali. Mieli klauna, który zwijał balony w kształty zwierząt, i dmuchany zamek dla dzieci.

Była nawet muzyka na żywo. Rodrick strasznie się obraził, bo jego kapela, Bródna Pieluha, starała się o tę fuchę, ale państwo Snellowie ich spławili.

Zjedliśmy obiad, a o wpół do czwartej zaczęła się prawdziwa zabawa.

Państwo Snellowie kazali wszystkim dorosłym ustawić się w kolejce do Setha i próbować go rozbawić.
Na pierwszy ogień poszedł pan Henrich.

Zauważyłem, że tata strasznie się denerwuje na końcu kolejki. Kiedy mijałem go w drodze po ciastka, zatrzymał mnie i powiedział, że jeśli pomogę mu się jakoś wywinąć, będzie mi BAAARDZO wdzięczny.

Przyszło mi do głowy, że to prawdziwa ironia: tata prosi o pomoc, a jutro chce mnie wysłać do szkoły wojskowej. Właściwie mogłem zostawić go samemu sobie.

Z drugiej strony, wcale nie chciałem patrzeć, jak mój ojciec robi z siebie kretyna przed wszystkimi sąsiadami. Doszedłem do wniosku, że chyba dam nogę do domu, żeby nie oglądać tego obciachu.

I właśnie wtedy zobaczyłem Manny'ego, który na drugim końcu tarasu grzebał w prezentach Setha.

Manny znalazł prezent od NASZEJ rodziny i rozerwał papier. Jak tylko zobaczyłem, co jest w środku, wiedziałem, że będą kłopoty.

Był to niebieski wełniany kocyk, taki sam jak stary kocyk MANNY'EGO. Młody zachowywał się, jakby znalazł nowy Kocik.

Podszedłem do brata i powiedziałem mu, że musi odłożyć kocyk, bo to prezent dla dzidziusia, a nie dla niego, ale Manny nie wypuścił go z łap.

Kiedy zrozumiał, że odbiorę mu kocyk, odwrócił się i przerzucił go przez balustradę. Kocyk wylądował na gałęzi drzewa.

Wiedziałem, że muszę go odzyskać, zanim mama zauważy, co się stało, więc zlazłem z tarasu i zacząłem się wspinać.

Już miałem złapać koc, kiedy ześliznęła mi się stopa i zawisłem na gałęzi. Próbowałem się podciągnąć, ale nie miałem siły.

Pewnie dałbym radę, ale przez cały dzień wypiłem tylko jeden napój i zjadłem lukier z kawałka tortu, więc brakowało mi energii.

Wołałem o pomoc, ale potem żałowałem,
że zwróciłem na siebie uwagę, bo kiedy wszyscy
przybiegli, spodnie zsunęły mi się z tyłka i opadły
do kostek.

Nic takiego by się nie stało, gdybym miał na sobie
WŁASNE spodnie, ale nie wyprałem ich po tej historii
z czekoladą, więc pożyczyłem parę spodni RODRICKA,
a one są na mnie o dwa numery za duże.

To już był wystarczający obciach, ale potem
zrozumiałem coś jeszcze GORSZEGO.
Miałem na sobie majtki z Wonder Woman.

W końcu tata przyszedł i ściągnął mnie z drzewa, ale wcześniej pan Snella nagrał wszystko kamerą. Mam przeczucie, że tym razem jego film wygra główną nagrodę w konkursie na „Najzabawniejszą rodzinę Ameryki".

Potem tata zabrał mnie do domu. Myślałem, że będzie wściekły, ale okazało się, że mój wypadek nastąpił w idealnym momencie, bo tata był akurat następny w kolejce do rozbawiania Setha Snelli, więc uratowałem mu skórę.

I wiecie co? Tata myśli, że ODEGRAŁEM całą tę scenkę dla niego.

Wcale nie miałem zamiaru wyprowadzać go z błędu. Przygotowałem sobie wielką miskę lodów i usiadłem przed telewizorem, żeby nacieszyć się ostatnimi chwilami wolności.

Niedziela

Kiedy obudziłem się dziś rano, była jedenasta.
Nie mogłem zrozumieć, jakim cudem jestem w łóżku,
bo tata miał mnie zawieźć do szkoły wojskowej
o ósmej.

Poszedłem na dół. Tata siedział przy stole kuchennym
i czytał gazetę. Nie był nawet ubrany.

Kiedy wszedłem do kuchni, stwierdził, że musimy się zastanowić nad całym tym pomysłem ze szkołą wojskową. Może wystarczy, jeśli od czasu do czasu zrobię kilka pompek albo brzuszków, zamiast przechodzić dwumiesięczny trening na obozie.

Nie mogłem uwierzyć własnym uszom. Tata chyba czuje, że jest mi coś winien za to, że go wczoraj uratowałem, i w ten sposób chce mi się odwdzięczyć.

Szybko poszedłem do Rowleya, zanim tata zdążył zmienić zdanie. Idąc pod górę, zdałem sobie sprawę, że mam wakacje.

Zapukałem do drzwi Rowleya i powiedziałem mu,
że jednak NIE muszę jechać do szkoły wojskowej.

Rowley nie miał zielonego pojęcia, o czym mówię.
Ten gość czasami w ogóle nie wie, co się wokół niego
dzieje.

Przez chwilę graliśmy w „Zakręconego Czarownika 2",
a potem rodzice Rowleya wykopali nas z domu, więc
wzięliśmy lody i usiedliśmy na krawężniku.

NIE uwierzycie, co się potem stało. Śliczna
dziewczyna, której nigdy wcześniej nie widziałem,
podeszła do nas i się przedstawiła.

Powiedziała, że ma na imię Trista i właśnie
wprowadziła się na naszą ulicę.

Spojrzałem na Rowleya. Widać było, że myśli o tym
samym. W ciągu dwóch sekund opracowałem
odpowiedni plan.

Ale potem wpadłem na LEPSZY pomysł.

Rodzina Rowleya wykupiła karnet na basen i Rowley może codziennie przyprowadzić dwójkę gości.

Czyli może być całkiem fajnie.

Wygląda na to, że w końcu wszystko układa się po mojej myśli. Najwyższy czas. Chyba nikt nie zasługuje na to bardziej niż ja. Mówiłem wam już, że jestem jednym z najlepszych ludzi, jakich znam.

Wiem, że szczęśliwe zakończenia są kiczowate, ale
kończy mi się papier, więc to już chyba

KONIEC

PODZIĘKOWANIA

Dziękuję żonie Julie, bez której miłości i wsparcia te książki nigdy by nie powstały. Podziękowania niech przyjmie także moja rodzina – Mama, Tata, Re, Scott i Pat – a także inni krewni – Kinneyowie, Cullinane'owie, Fitchowie, Kennedy'owie oraz Burdettowie. Bardzo mi pomogliście. Świetnie było dzielić z wami to doświadczenie!

Dziękuję, jak zawsze, Charliemu Kochmanowi, który uwierzył w ten cykl, Jasonowi Wellsowi, najlepszemu specjaliście od promocji na świecie, i wszystkim wspaniałym osobom z wydawnictwa Abrams.

Dziękuję mojemu szefowi, Jessowi Brallierowi, oraz współpracownikom w Family Education Network.

Dziękuję Rileyowi, Sylvie, Carli, Ninie, Bradowi, Elizabeth i Keithowi.

Dziękuję Melowi Odomowi za entuzjastyczne recenzje pierwszych dwóch książek.

I dzięki dla Aarona Nicodemusa za to, że namówił mnie na powrót do rysowania, kiedy już dałem sobie spokój.

O AUTORZE

Jeff Kinney jest twórcą internetowych gier komputerowych oraz serii książek *Dziennik cwaniaczka*, numeru jeden na liście bestsellerów "New York Timesa". Czasopismo "Time" umieściło go wśród Stu Najbardziej Wpływowych Ludzi Świata. Jeff stworzył również portal www.poptropica.com. Dzieciństwo spędził w Waszyngtonie, a w 1995 roku przeniósł się do Nowej Anglii. Obecnie mieszka z żoną i dwoma synami na południu Massachusetts, gdzie otworzył księgarnię An Unlikely Story.

Wydawnictwo NASZA KSIĘGARNIA Sp. z o.o.
05-075 Warszawa-Wesoła, ul. Apteczna 6
e-mail: naszaksiegarnia@nk.com.pl
tel. 22 643 93 89
Sprzedaż wysyłkowa: tel. 22 641 56 32
e-mail: sklep.wysylkowy@nk.com.pl
www.nk.com.pl

Książkę wydrukowano na papierze
Ecco Book Cream 70 g/m^2 wol. 2,0.

Redaktor prowadząca **Joanna Wajs**
Opieka merytoryczna **Magdalena Korobkiewicz**
Redakcja **Katarzyna Nowak**
Redakcja techniczna **Joanna Piotrowska**
Korekta **Magdalena Szroeder**
Skład i łamanie **Mariusz Brusiewicz**

ISBN 978-83-10-13919-1

PRINTED IN POLAND

Wydawnictwo „Nasza Księgarnia", Warszawa 2022 r.
Druk: POZKAL, Inowrocław